RENATO RUSSO

o trovador solitário

Arthur Dapieve

REN
RUS

o trovador solitário

9ª edição

Ediouro

Imagem, nome e dados biográficos de Renato Russo gentilmente autorizados por LEGIÃO URBANA PRODUÇÕES/COPYRIGHTS CONSULTORIA e por seus herdeiros

CAPA E PROJETO GRÁFICO
Izabel Barreto_Mabuya Design

FOTOS DA CAPA E ILUSTRAÇÃO DA FOLHA DE ROSTO
Acervo particular família Manfredini

REVISÃO
Michelle Strzoda

PRODUÇÃO EDITORIAL
Felipe Schuery

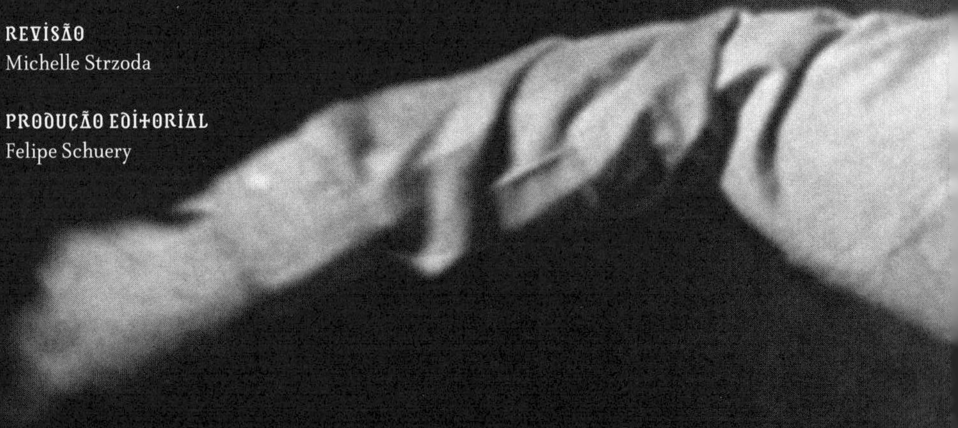

CIP-Brasil. Catalogação-na-fonte.
Sindicato Nacional dos Editores de Livros, RJ.

D222r

Dapieve, Arthur, 1963-
Renato Russo: o trovador solitário / Arthur Dapieve. – [Nova ed.]. – Rio de Janeiro: Ediouro, 2006
il.

Inclui cronologia e discografia
ISBN 85-00-02096-2

1. Russo, Renato, 1960-1996. 2. Músicos – Brasil – Biografia. I. Título.

06-3283. CDD 927.875
CDU 929:78.067.26

Rua Nova Jerusalém, 345 – Bonsucesso
Rio de Janeiro – RJ – CEP: 21042-235
Tel.: (21) 3882-8200 – Fax: (21) 3882-8212/8313
www.ediouro.com.br

MILA PETRILLO

If you're so funny
Then why are you on your own tonight?
And if you're so clever
Why are you on your own tonight?
If you're so very entertaining
Why are you on your own tonight?
If you're so terribly good-looking
Then why do you sleep alone tonight?

"I Know It's Over"
The Smiths

MILA PETRILLO

Para Marianna e Mànya, sempre

Agradecimentos especiais à família Manfredini (seu Renato, *in memoriam*, dona Maria do Carmo e Carmem Teresa) e à Legião Urbana (Dado Villa-Lobos, Marcelo Bonfá e Rafael Borges).

Meus agradecimentos a Ana Maria Bahiana, Carlos Trilha, Denise Bandeira, Felipe Lemos, Fred Nascimento, Gian Fabra, Gilda Mattoso, Jerry Adriani, José Emilio Rondeau, Júlia Millen Leal, Leo Jaime, Mario Marona, Mauricio Valladares, Nina Millen Leal, Philippe Seabra, Reginaldo da Costa, Renato Rocha, Roberta Salomone, Sérgio Espírito Santo, Sérgio Rodrigues, William Bonner e Wilson Coutinho, *in memoriam*.

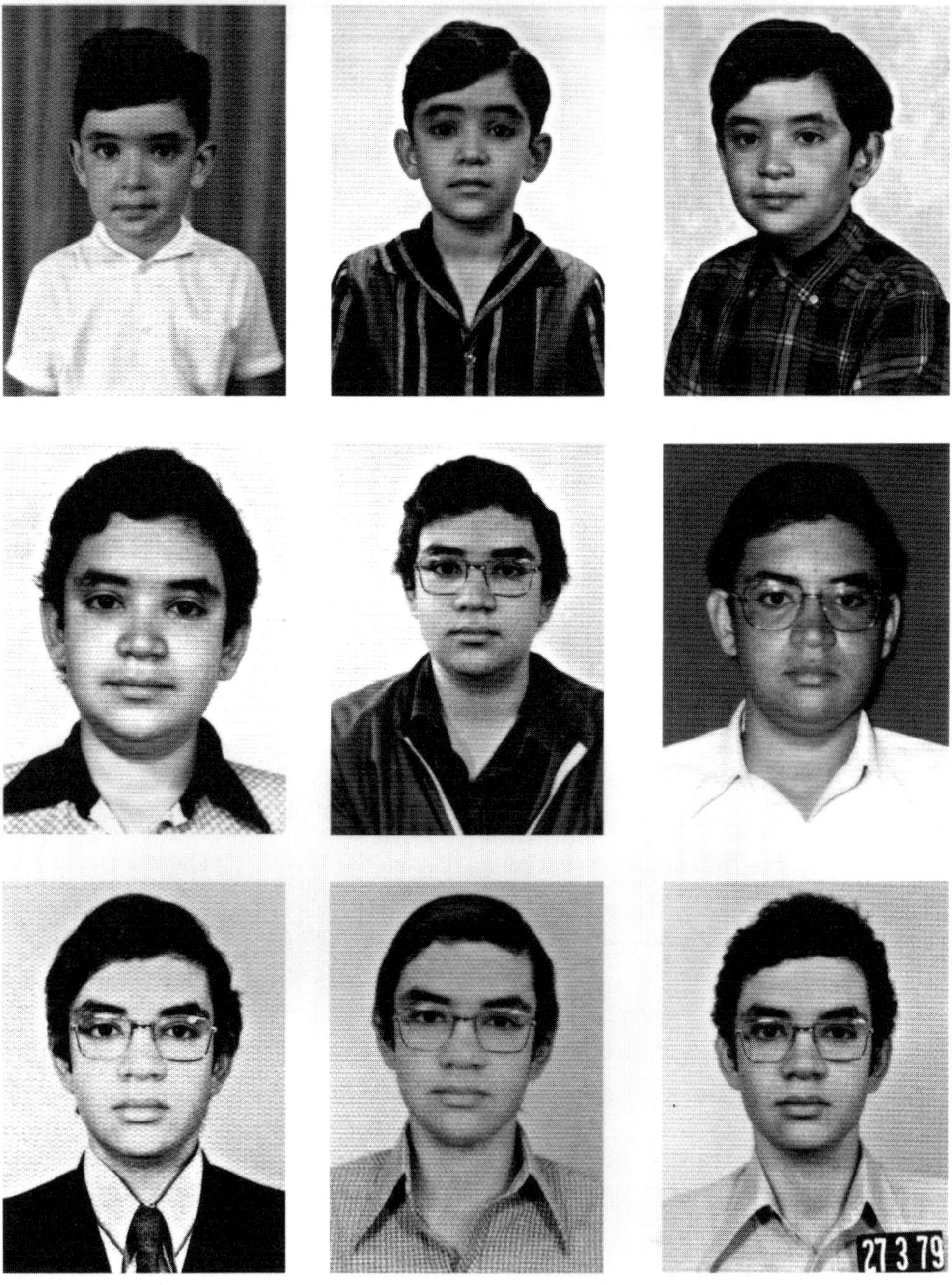

ACERVO PARTICULAR FAMÍLIA MANFREDINI

SUMÁRIO

MAURICIO VALLADARES

PREFÁCIO À NOVA EDIÇÃO

R*enato Russo — O trovador solitário* não tem faixas bônus. Não tem revelações sensacionalistas, não tem CD com trechos de entrevistas de brinde. Não tem nada que distraia a atenção do legado de Renato Manfredini Jr., dez anos depois de sua morte. Ou seja, excetuando-se uma correção em prol da palavra justa aqui, uma atualização em prol da informação ali e uma seleção de fotos diferente, é basicamente o mesmo livro editado pela Relume Dumará em parceria com a Secretaria Municipal de Cultura, em 2000, dentro da série Perfis do Rio — e cuja oitava edição já estava esgotada três anos após o lançamento.

O seu epílogo, por exemplo, foi mantido tal qual, sem nenhum retoque, como uma espécie de flagrante da minha emoção ao concluir um dos possíveis perfis de Renato. Não foi tarefa fácil. Ao contrário, foi emocionalmente pesada. Explico. Enquanto digitava ao computador e consultava anotações ou pedaços de jornal, ouvia os discos da Legião Urbana correspondentes ao período tratado em cada capítulo e as fitas de duas das entrevistas que realizara com Renato. De certa forma, ele falava comigo. Assim, conforme revivia a vida e a obra confluindo para o fim prematuro, ao menos por um instante, tudo fazia sentido.

Sobretudo ouvir *A tempestade* e *Uma outra estação*, escrever sobre as terríveis circunstâncias em que eles foram gravados e, ao mesmo tempo, ouvir um Renato anterior ao ordálio falar do próprio trabalho, deu-me uma compreensão muito clara do seu drama de criador engolfado pela criatura. Além disso, nas declarações, o perfilado sem querer ajudou-me a estabelecer o que este livro deveria ou não deveria ser: ele conseguia ser pessoal — na medida em que, como homem público, precisava se colocar no mundo diante dos fãs — sem ser íntimo. Portanto, nada de fofocas. Vida pessoal, apenas a essencialmente necessária para iluminar trechos da música. Afinal, esta era o seu norte. Eu tinha de ser fiel a meu personagem e, pelo retorno, creio que os meus primeiros leitores entenderam isso.

Renato sabia melhor do que ninguém o que era a Legião Urbana e a quem ela se dirigia. Duas histórias simultâneas ao lançamento do livro confirmaram o seu acerto de não aprisionar no tempo e no espaço as canções, de modo a garantir-lhes beleza e transcendência. Primeiro, ele queria atingir todas as faixas etárias, fazer discos que seu filho pudesse ouvir, sem palavrões gratuitos. Na noite de autógrafos, muitas crianças entraram na fila do Planetário da Gávea. Fiquei aliviado por não ter escrito algo proibido para menores. Segundo, Renato queria atingir pessoas em todo o Brasil. Durante algum tempo, o guitarrista da Legião, Dado Villa-Lobos, teve um programa na Transamérica FM, batizado *Dado e o Reino Animal*, como sua primeira banda. No programa de estréia, um dos exemplares do primeiro

CD solo do baterista Marcelo Bonfá, *O barco além do Sol*, foi sorteado para um ouvinte de Macapá. Pensei cá com meu *dial*: "Macapá!".

Logo, sem nostalgia, mas apenas com saudade, penso que é especialmente a quem não tinha idade para testemunhar a integridade pessoal e artística da trajetória de Renato Russo e/ou a quem se alistou na Legião Urbana em postos distantes do Rio de Janeiro e de Brasília que *O trovador solitário* merece continuar a cantar/contar.

A. D.

Rio de Janeiro,

julho de 2006

MAURICIO VALLADARES

PRÓLOGO

Eppur si muove

Renato Russo morreu à 1:15h de 11 de outubro de 1996, de complicações decorrentes da Aids, no seu apartamento na rua Nascimento Silva, em Ipanema, zona sul do Rio de Janeiro. Cedo a notícia chegou às redações dos jornais de todo o país, que começaram a mobilizar equipes e recursos para, em suas edições do dia seguinte, se despedirem condignamente do cantor, compositor e letrista do grupo Legião Urbana, o mais popular do Brasil, satisfazendo a curiosidade dos leitores. O jornalismo pouco mais é, afinal, do que uma relação entre curiosos, os profissionais e os amadores.

Metas foram estabelecidas.

Descobrir as circunstâncias da morte.

Investigar como foram os seus últimos dias de vida.

Anunciar a cremação, no Cemitério São Francisco Xavier, no Caju.

Entrevistar a família, os amigos, os colegas de trabalho, as professoras, os meros conhecidos. Encomendar textos a algumas dessas pessoas.

Recontar a infância na Ilha do Governador e a adolescência em Brasília.

Narrar sua carreira.

Publicar sua discografia, com a banda e solo. Avaliar criticamente toda sua obra. (Quiçá obter alguma informação exclusiva ou letra inédita...)

Escolher quais letras destacar como as mais significativas.

Escolher as fotos dos pôsteres. Procurar fotos raras.

Definir quantas páginas para a cobertura. No corpo do jornal ou num caderno especial? Espalhar o resultado do trabalho de equipe pelo espaço disponível. Aprontar tudo no horário aprazado. Imprimir. Distribuir. Vender. Informar. Comover. Registrar.

Nos bastidores do maior jornal do Brasil, assistido todas as noites por uma média de 25 milhões de espectadores, passou-se mais ou menos a mesma coisa, feitas apenas as devidas adaptações ao meio televisivo. Naquela noite, pouco antes de o *Jornal Nacional*, da Rede Globo, entrar no ar, realizou-se uma tensa reunião numa sala da rua Lopes Quintas, no Jardim Botânico, zona sul do Rio de Janeiro, não muito distante, se fosse possível traçar uma linha reta sobre a superfície da lagoa Rodrigo de Freitas, do apartamento da Nascimento Silva. Tensa porque a jornalista que o apresentava, Lilian Witte Fibe, não estava convencida da importância de Renato Russo. Ela achava que o *JN* estava dedicando tempo demais ao roqueiro. Meio jornal! A discussão se arrastou por minutos até que seu colega na apresentação, William Bonner, convenceu-a do acerto da medida com um argumento definitivo: recitou-lhe todos os 159 versos de “Faroeste caboclo”, de “Não tinha medo o tal João de Santo Cristo” a “Que só faz sofrer”.

Bem, esta é a lenda que circula entre os fãs da Legião Urbana.

Como sói acontecer, a realidade raramente tem bandidos e mocinhos.

Naquele 11 de outubro de 1996, quando Lilian Witte Fibe e William Bonner chegaram à redação do *Jornal Nacional*, a decisão de dedicar metade do tempo do telejornal à vida e à morte de Renato Russo já estava tomada havia horas. Havia sido tomada pelo editor-chefe Mario Marona, com a aprovação do diretor de Jornalismo da emissora, Evandro Carlos de Andrade. Quase dois anos depois, ninguém menos que Frank Sinatra mereceria a mesma deferência. O próprio Marona, um gaúcho baixinho e enérgico, pesquisara imagens de arquivo para ilustrar a trajetória de Renato e da Legião Urbana. Na reunião das 14h, além dele, de Lilian e de Bonner, estavam presentes mais vinte pessoas. Ninguém na sala tinha dúvidas da importância de Renato. Lilian, porém, não ligava imediatamente o nome à obra. Rock não era sua praia, sua geração. Algumas pessoas citaram títulos de músicas da Legião, e logo a apresentadora descobriu que conhecia mais da banda do que julgava conhecer. Mesmo assim, para reforçar, Bonner disse brincando que, se Lilian quisesse, ele poderia recitar todos os 159 versos de "Faroeste caboclo" ali mesmo, no ato. Ante a ameaça de demissão coletiva, o apresentador não os recitou.

Bem, essa é a verdade, menos charmosa que a lenda talvez — mas a verdade. Porém, a distância entre as duas versões — alargada pela transmissão fã a fã, como se tratasse de um evangelho apócrifo ou de um segredo esotérico vazado das entranhas da misteriosa Vênus Platinada — demarca a distância entre uma vida e a sua projeção no futuro.

De qualquer forma, como muitos brasileiros, William Bonner ainda sabe de cor os 159 versos de "Faroeste caboclo". Dezenove anos depois de a música ter sido lançada em disco. Vinte e sete anos depois de ela ter sido composta por Renato Russo. Quarenta e seis anos depois de seu autor ter nascido, como Renato Manfredini Jr., às 4h de 27 de março de 1960, na clínica Santa Lúcia, Humaitá, zona sul do Rio de Janeiro, não muito distante, se fosse possível traçar uma linha reta sobre um ou dois morros e a superfície da lagoa Rodrigo de Freitas, do apartamento da Nascimento Silva onde a respiração cederia espaço ao mito.

ELE NÃO TEM DESCONFIÔMETRO

Carmem Teresa mal podia acreditar. O irmão mais velho tomara conhecimento de um concurso de desenho promovido pela Cultura Inglesa de Brasília, onde estudava, tinha ido à papelaria Poliarte e gastado sua mesada de um salário mínimo em tintas francesas. Agora, confiante, estava de volta ao apartamento do bloco B da Super Quadra Sul 303. Lá, todos, inclusive Renato, sabiam que era ela quem melhor desenhava na família, tanto que, mais de vinte anos depois, faria a ilustração da capa de um disco chamado *O último solo*. "Ele não tem desconfiômetro", suspirava Carminha, enquanto via o irmão pegar um exemplar da *School Bulletin*, espécie de *National Geographic Magazine* para crianças, da qual o pai havia feito uma assinatura para os filhos desde que a família Manfredini morara nos Estados Unidos, alguns anos antes. Renato praticamente decalcou uma das fotos, num desenho hiper-realista. Os pais achavam graça na petulância do adolescente. Mas ninguém chegou a ficar exatamente surpreso quando, dias adiante, o obstinado primogênito chegou em casa feliz da vida, com a medalha e o livro do prêmio.

Seu pai, também Renato, paranaense, era economista do Banco do Brasil. Sua mãe, dona Maria do Carmo, pernambucana, era professora de inglês. No final de 1962, chegou ao mundo Carmem Teresa, sua única irmã. Nessa época, os Manfredini — família originária de Sesto Cremonese, perto de Milão, norte da Itália — moravam numa casa na rua Maraú, bairro Bananal, Ilha do Governador. Uma casa que voltaria a abrigar Renato no período entre a volta de Brasília, com a Legião Urbana, e a decisão de sair em carreira familiar solo na rua Nascimento Silva. Renato tinha medo da solidão e das tentações da metrópole. Além do mais, a distância entre a rua Maraú e a badalada zona sul dava-lhe a desculpa ideal para dispensar programas potencialmente chatos. "Ah, pena, eu moro longe, não dirijo, infelizmente não posso ir", dizia, enquanto regozijava-se por dentro.

Foi nessa tranqüila casa avarandada na então tranqüila Ilha do Governador que Júnior — como era e ainda é chamado pelos Manfredini — começou a travar contato com o vasto mundo da música por intermédio da família. Desde sua juventude, no Paraná, seu Renato havia convivido com um pai flautista e violonista, desses que aprende tudo de ouvido e anima saraus e serestas. Também sua mãe, orientada, era capaz de acompanhá-lo ao violão. O próprio Renato Manfredini pai aprendeu rudimentos de piano. Escutava música clássica e jazz. Já dona Maria do Carmo era apreciadora de Francisco Alves, Angela Maria e marchinhas de carnaval. Sua irmã, Maria do Socorro, que freqüentemente ficava tomando conta do pequeno Renato para dar uma folga ao casal, era fã de Elvis Presley, Neil Sedaka e Paul Anka. O gosto eclético da família iria se refletir no seu, potencializado ainda pelo impacto de ter descoberto o rock — e tudo o que ele representava — na virada dos anos 60 para os 70.

Todas as manhãs, antes de sair para o trabalho, seu Renato escutava os LPs e a música se espraiava pela casa. Júnior pegava carona na coleção do pai, tomando contato com Benny Goodman e Glenn Miller antes mesmo de aprender a ler, o que aconteceu no Colégio Olavo Bilac, na própria Ilha do Governador, com mestras que posteriormente seriam citadas na letra de "O descobrimento do Brasil" (1993): "A professora Adélia,/ a tia Edilamar/ e a tia Esperança". Era aluno tímido, afetuoso e tranqüilo. Era excelente aluno. Mais ou menos na mesma época em que começou a ser alfabetizado, aos 5 anos, ele também

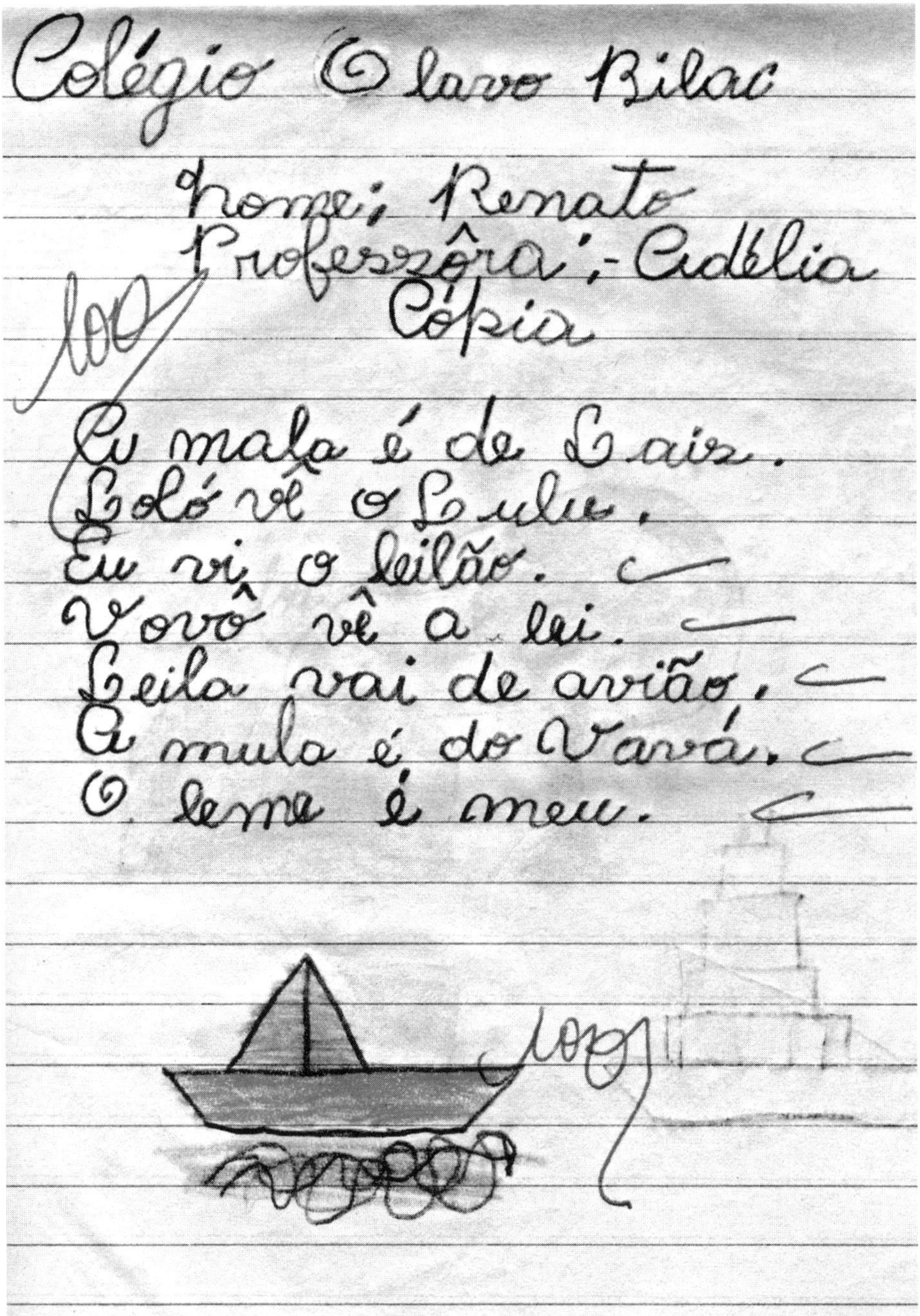
Colégio Olavo Bilac

Nome: Renato

Professôra: - Adélia

Cópia

100

A mala é de Laís.
Loló vê o Lulu.
Eu vi o leilão.
Vovô vê a lei.
Leila vai de avião.
A mula é do Vavá.
O leme é meu.

100

ACERVO PARTICULAR FAMÍLIA MANFREDINI

Nota 100 para Renato no Colégio Olavo Bilac, na Ilha: a professora Adélia seria citada na letra de "O descobrimento do Brasil".

ACERVO PARTICULAR FAMÍLIA MANFREDINI

Aos 11 anos, posando no quintal da casa da família, na rua Maraú, também na Ilha: uma criança tímida, afetuosa e tranqüila.

recebeu aulas formais de piano. O básico. Não tinha, contudo, muita paciência para se fixar num determinado ponto até dominá-lo inteiramente. Lição mais ou menos aprendida, era hora de ir em frente. De qualquer forma, as informações ficavam lá, armazenadas até a hora de serem usadas, ajudando a formar seu gosto musical.

Renato não era, no entanto, um menino-prodígio, não no sentido de privar-se dos enormes pequenos prazeres da infância, privar-se de soltar pipa, de brincar de pique, nadar na praia, andar de carrinho de rolimã. Nunca fez teste de QI. Era inteligente e sensível, não superdotado. Certa vez, na época de lançamento do álbum *Dois* (1986), perguntado pela repórter Maria Sílvia Camargo, da revista *Domingo*, do *Jornal do Brasil*, se era uma criança do tipo introspectiva, Renato foi maroto: "Eu aproveitava os dias de chuva". Ao mesmo tempo, não possuía nenhuma inclinação para a prática de esportes. Tirando uma pequena passagem, junto à irmã caçula Carmem, pelas aulinhas de natação da Associação Atlética do Banco do Brasil (AABB), já nos tempos de Brasília, para onde os Manfredini se mudaram em 1973, nunca praticou nenhuma atividade física regular. Parecia associá-la a um estado de espírito de perene alegria, um estado que não era o seu. Quando, já adulto, soube que seu ídolo Stephen Patrick Morrissey, cantor e compositor dos Smiths, praticava basquete, Renato passou a descrer que o inglês de Manchester realmente pudesse vivenciar versos atormentados como "E se você tiver cinco segundos para perder/ Então eu conto a história da minha vida: 16 anos, atrapalhado e tímido./ Essa é a história da minha vida". "Morrissey não pode ser deprimido porque joga basquete", Renato alertava os amigos.

Entre a rua Maraú e a Super Quadra Sul 303, ele passou uma temporada importante fora do Brasil. Quando Renato tinha 7 anos, a família Manfredini mudou-se para Nova York, mais especificamente para Forest Hill, no distrito de Queens. Renato pai ia fazer um curso. Para os filhos em idade de alfabetização de uma professora de inglês, a estada de dois anos nos Estados Unidos foi muitíssimo bem aproveitada, e teria reflexos notáveis em toda a sua formação. Pouco depois de terem chegado, seu Renato recebeu, como é de praxe, um comunicado da Secretaria de Educação de Nova York. Tinha 15 dias para matricular seus filhos numa escola. Junto, ia o endereço da escola pública mais próxima. Assim foi feito. Nela, Júnior deslanchou na língua de Shakespeare — e de Lennon & McCartney. Devorava um livro por semana da biblioteca escolar. Dois anos e nove meses mais nova que ele, Carmem conversava pelo telefone com as amiguinhas em inglês. No encarte de *The Stonewall Celebration Concert*, primeiro disco solo de Renato, todo em inglês, só com canções alheias, de Irving Berlin a Madonna, lançado em 1994, há uma foto dele abraçado a Carminha. Escrita pela mão de Renato, a legenda: "Me & my sister. Central Park — N.Y.C. June 1969" (Eu e minha irmã. Central Park — Cidade de Nova York. Junho 1969).

Quando os Manfredini voltaram dos Estados Unidos para a rua Maraú, neste mesmo ano, Renato estava com a idade mínima exigida pela Cultura Inglesa para matrícula de alunos. Assim, o seu aprendizado prosseguiu, na filial da Ilha do Governador. Mais tarde, em Brasília, ele passaria de aluno a professor da Cultura Inglesa — sua irmã estudaria no Instituto Britânico Independente. Até o final da vida o seu diário, no qual fazia anotações mesmo em meio às gravações de discos da Legião Urbana, seria escrito majoritariamente em inglês. Quando, em 1978, o príncipe Charles, da Inglaterra, passou por Brasília em sua visita oficial de nove dias ao país — visita que ficaria célebre pelos passos de samba que o herdeiro do trono britânico arriscaria a dar com a passista careca Pinah, da Beija-Flor —, um de seus compromissos era a inauguração da nova sede da Cultura Inglesa. Naquele dia 13 de março, o professor escolhido para saudar Charles Philip Arthur George Windsor, de 30 anos, num discurso de pronúncia impecável, foi Renato Manfredini Jr., a dias de completar 18 anos.

O domínio do inglês também facilitou, e muito, sua paixão pelo rock. Seu primeiro disco do gênero foi *The Beatles*, mais conhecido como "o álbum branco", duplo, magnífico, contendo músicas como "Helter Skelter", "While My Guitar Gently Weeps" e "Blackbird". A banda de John, Paul, George e Ringo foi sua primeira paixão, como havia sido, estava sendo e haveria de ser, com tantos meninos e meninas antes, ao mesmo tempo e depois dele, em todas as partes do mundo. Anos depois, os Beatles ainda seriam responsáveis indiretos por outra descoberta: a da própria sexualidade. Renato contaria que o primeiro impacto de um homem bonito sobre ele ocorreu na cena em que Paul McCartney dá as caras em *Help*, o filme maluco que Richard Lester dirigira em 1965. Mais além, Renato chegou a apresentar um programa sobre os Beatles numa FM de Brasília.

Depois dos Beatles, Renato mergulhou em Elvis Presley e em Bob Dylan. Embora tenha sido o iniciador musical da irmãzinha, nunca conseguiu convertê-la ao culto ao bardo fanho de Duluth, Minnesota, nascido Robert Allan Zimmerman. Carmem sentia-se frustrada porque não conseguia descobrir nada sozinha, Renato tomava sua frente em tudo. Era a figura do irmão mais velho de fato e de direito. Depois dela, muitos, inclusive o guitarrista Dado Villa-Lobos e o baterista Marcelo Bonfá, seus companheiros na Legião Urbana, inclusive milhares de fãs, também o viram como o irmão mais velho a ser seguido. No caso de Carminha, ao menos uma vez o tiro saiu pela culatra. Foi quando Renato presenteou-a, não sem um certo desdém, com um disco de Billy Joel. Contudo, conforme ela foi ouvindo o presente, também ele foi gostando do cantor e pianista nova-iorquino, muito mais chegado ao pop do que ao rock. Tempos depois, em *The Stonewall Celebration Concert*, Renato pagou tributo à descoberta por tabela de Joel, gravando sua música "And So It Goes", dos belos versos "And every time I've held a rose/ It seems I only felt the thorns" ("E cada vez que segurei uma rosa/ Pareceu que eu apenas sentia os espinhos").

Antes do furacão punk — que afetaria profundamente sua vida e sem o qual não existiria Legião Urbana — Renato passou por uma fase de ouvir muito rock progressivo. Era precisamente o tipo de música contra o qual Johnny Rotten se insurgiria, no célebre verão londrino de 1976, ao usar uma camiseta do Pink Floyd com os dizeres "I hate" (Eu odeio) pichados por cima do nome do grupo. Mas, àquela altura do campeonato, Renato Manfredini Jr. ainda pensava em usar seus parcos conhecimentos de piano para se tornar Keith Emerson, o rei dos teclados no trio com Greg Lake e Carl Palmer. Ao mesmo tempo, apreciava as cantoras Linda Ronstadt e Joni

Mitchell, dificílimas. Um dia, cantou-as tão bem que as pessoas que passavam por baixo de sua janela na SQS 303 pararam para aplaudir.

Nas reuniões de família, saudado como "o roqueiro", Renato esnobava exibindo conhecimentos musicais que obtivera na cola do pai. "E então?" perguntavam-lhe. "Gostas dos três bês, Bach, Beethoven e Brahms?" Em vez de responder, "não, obrigado, prefiro Focus e Jethro Tull", Júnior surpreendia os parentes com respostas cheias de propriedade. "Não, prefiro os renascentistas e os modernos, Purcell, Wagner, Eric Satie..." A paixão pela música clássica no futuro abarrotaria o seu apartamento na rua Nascimento Silva de CDs de Schubert e Rachmaninoff e de *videolasers* com óperas de Wagner, seu favorito. Não muito tempo antes de morrer, Renato deu ao tecladista de formação erudita Carlos Trilha — produtor de seus três primeiros discos solo — um exemplar de *Bom-crioulo*, livro que Adolfo Caminha escreveu em 1895, considerado o primeiro romance gay da literatura brasileira, embora *O cortiço*, de Aluísio Azevedo, traga uma cena de lesbianismo. A intenção de Renato era transformar em ópera o amor entre os marinheiros Aleixo, frágil e louro, e Amaro, negro e forte. Trilha não leu o livro mas nunca desistiu da empreitada.

Em casa, quando crianças, Renato e Carmem Teresa tinham à disposição livros e mais livros, em português e em inglês. Também eram fascinados pela velha revista *Recreio*, a partir da qual criavam seus próprios brinquedos. Um pouco adiante, seu Renato presenteou Júnior com a coleção *Great Books of the Western World*, que compreendia todos os campos do conhecimento: ciências humanas, sociais e exatas. Depois, com a *Encyclopaedia Britannica*. O garoto demonstrava pendor para política, religião, história e filosofia. Química? Quando muito daria uma boa música em 1981. Aquela que, rejeitada pelo Aborto Elétrico e gravada pelos amigos Paralamas do Sucesso em seu primeiro LP, *Cinema mudo*, dois anos depois, abriria as portas da EMI-Odeon para a Legião Urbana. Renato considerava-a um "grito de guerra dos vestibulandos". "Não saco nada de física/ Literatura ou gramática/ Só gosto de educação sexual/ E eu odeio química... química... química", cantaram sucessivamente Herbert Vianna e Renato Russo. No caso deste, autor solitário da música, os versos eram uma licença poética. Pois configuravam uma meia-verdade (física e química não estavam entre suas disciplinas prediletas) e, logo, uma meia-mentira (literatura e gramática muito o interessavam).

Renato lia vorazmente. Muito e muito rápido. Tão rápido que às vezes as pessoas duvidavam que ele pudesse ter lido determinado livro num curto espaço de tempo. Nem Carmem acreditava. Desconfiada, procedia, então, a uma sabatina. E invariavelmente comprovava que seu irmão tinha mesmo devorado o livro em questão. Apreciava muito poesia — os sonetos de Shakespeare, P. B. Shelley, W. H. Auden, o *beat* americano Allen Ginsberg, Jean-Arthur Rimbaud, Fernando Pessoa e todos os seus heterônimos, Carlos Drummond de Andrade, Adélia Prado — e filosofia — a coleção Os pensadores, da editora Abril Cultural, súmula das reflexões de gente como Blaise Pascal, Friedrich Nietzsche e Bertrand Russell, deu-lhe muito o que pensar e reprocessar. Mais adiante, ele se enamoraria por biografias, de astros e grupos de rock e de artistas de cinema.

Por sinal, durante toda a sua vida, a sétima arte seria para Renato uma obsessão tão grande, ou quase tão grande, quanto o rock'n'roll. Tanto que ele a encarava como um desdobrar natural de sua vida artística. Meticuloso como era, traçara um plano para si mesmo: até os 40 anos, levaria adiante a Legião Urbana; dos 40 aos 60, se dedicaria ao cinema; daí em diante seria um escritor. Para pôr em prática a segunda etapa, rascunhou ao menos dois roteiros, um na adolescência, o mitológico *Apolo & Daphne*; o outro já adulto, *Faroeste caboclo*, baseado em sua própria música, nos seus próprios 159 versos que contavam a saga de João de Santo Cristo, misto de traficante e santo, personificação do próprio Brasil. Para o papel de Pablo, o traficante "peruano que vivia na Bolívia", Renato pensava em convidar o ator Marcos Palmeira. Como espectador, era tão voraz quanto como leitor. Era capaz de assistir a quatro fitas de vídeo por dia. Era apaixonado pelos diretores Ingmar Bergman, sueco, e François Truffaut e Jean-Luc Godard, franceses. Este último, inclusive, foi arrolado entre as preferências eruditas da Mônica da famosa música com o Eduardo, inspirada em sua amiga Leonice de Araújo Coimbra, artista plástica em Brasília.

Através de Godard, por exemplo, Renato era capaz de se apaixonar ou de se desencantar com as pessoas. Certa vez, foi convidado para um churrasco na residência de um diplomata. O pai notou-lhe a felicidade por, naquele meio sofisticado, poder encontrar outras pessoas que compartilhassem seu gosto e com quem pudesse trocar figurinhas. Esse "trocar figurinhas" culturais, aliás, sempre seria uma característica de Renato. Ter as mesmas referências era fundamental para cair nas suas boas graças, uma maneira segura de se encontrar um novo amigo, ou até mesmo de conseguir passar uma idéia para a banda durante uma gravação. No dia desse churrasco em Brasília, ele se acercou de um grupinho que discutia cinema. Ouviu um pouco e perguntou a alguém, querendo se enturmar: "O que você acha de *Acossado*?". A resposta o deixou chocado: "Não trato de filmes menores". Antes de se afastar, desiludido, Renato retrucou: "Mas esse é o primeiro filme do Godard!".

O gosto pelo cinema, contudo, seria alimentado continuamente. Em sessões de filmes de Rainer Werner Fassbinder no Instituto Goethe de Brasília. Em sessões de Jean Renoir na embaixada da França. Numa ponta, como *Manfredo, o caçador de talentos*, vestindo terno, usando dois relógios de pulso e propondo um contrato escandaloso ao recém-criado Plebe Rude no média-metragem *Ascensão e queda de quatro rudes plebeus*, dirigido por Helena Resende e Carlos Augusto *Gutje* Woorthmann, baterista da outra das três ou quatro bandas seminais de Brasília. A fita também era narrada por Renato e, apesar (ou por causa) da precariedade, levou o prêmio de melhor filme experimental do IV Festival de Cinema Super-8 de Brasília, em 1982. Ou, ainda, como sócio-fundador dos Amantes da Sétima Arte (ASA), grupo de amigos que se reunia em torno de bons filmes e jantares no Rio de Janeiro. Dos Amantes faziam parte, entre outros, a atriz e roteirista Denise Bandeira, a também atriz Ana Beatriz Nogueira, o empresário Luiz Fernando Borges, o cantor e compositor Leo Jaime, a cantora Chris Braun e o compositor Alvin L. Apesar da informalidade das reuniões, Renato as levava tão a sério que sugeriu o seu registro em ata. Apenas duas foram feitas.

No Colégio Marista da capital federal, onde cursou a parte final do primeiro e o segundo grau inteiro, seu desempenho era condizente com tanta organização e tenacidade. Lá, em meados dos repressivos anos 70, os alunos esquisitões se contavam nos dedos. Dois. Renato não estava entre eles. Na sua sala havia um menino que pintava as unhas, Paulinho, "uma bicha". Noutra turma, havia Hortência, menina vagamente descrita como "maluca". Embora ele mesmo fumasse maconha e mais tarde se descrevesse como "a cara do Jimmy Page na contracapa do *Led Zeppelin III*", o primogênito dos Manfredini era benquisto no Marista. Isso seria muito importante num momento doloroso, em que, mais uma vez, sua obstinação e sua capacidade de superação seriam postas à prova.

Em 1975, aos 15 anos, Renato caiu gravemente doente. Diagnóstico: epifisiólise, doença de caráter virótico que praticamente dissolveu a cartilagem que ligava o seu fêmur esquerdo à bacia. Sua perna ficou pendurada ao corpo somente pela carne e pela pele. Renato teve de ser operado para a colocação de três pinos de platina. Foi vítima de erro médico. Nenhum pino ficou onde deveria ter ficado, sendo que um deles foi cravado em seu nervo ciático, causando dores lancinantes. Foi operado de novo. Passou seis meses de cama, seis meses andando de cadeira de rodas, seis meses se movimentando de muletas, um ano e meio sofrendo. Só sarou — mesmo assim puxando discretamente da perna — depois de ter feito fisioterapia no hospital Sarah Kubitscheck, não muito distante de sua casa, com o médico Aloísio Campos da Paz. Nesse período, não parou de estudar. O Marista, inclusive, confiava o bastante nele para mandar-lhe as provas em casa. Renato, assim, não perdeu nenhum ano de estudo. Tornou-se, no entanto, compulsoriamente mais introspectivo que antes. Não que ligasse para o apelido de "Homem de Seis Milhões de Dólares", ganho pelos pinos na perna, em referência ao seriado americano de TV estrelado por Lee Majors, muito popular no Brasil daquela época, povoado até por senadores-biônicos. Afinal, aquilo proporcionava-lhe a realização do sonho de todo

the Eric Russell interview:

first draft.

Why did you decide doing a solo album?

Actually it wasn't really a solo album. It was something like a break from what the band was doing. You see, at that time I felt very uptight, like, I felt that the guys wouldn't like my songs, they sort of ran away from what the band was doing, all those blues and stuff. I had all these songs under my pillow you know, the country-folk things, long ballads with long lyrics. Not very commercial.

But the Russell/Beauvy album was very successful not only critically but financially too.

Yeah. I guess maybe that was Nick's part in the thing. He has done great songs but the kind that everyone likes. He can be commercial without being unartistic.

And what about the band's relationship at that time?

I think that the 42 St. Band scandal also sold the album. All those rows between Beck and all; the drugs thing too.

What really happened?

Well, Beck is very egoistic, I mean, he was the leader of the band, sort of, so he actually thought he could treat us like puppets. I wasn't aware of that though. It started with the Morning Blues album. He really wanted that album to be his, you know, and there are five people in that band. Five people working together, man. I told him 'this group ought to be called Jeff Beck and the 42nd St. Puppets'. That was it. Reeves was ill then, seriously as you know and it would be a blow to him if Beck didn't let his song in the album. It's a masterpiece, you actually feel Third Avenue in that song. But it wasn't a blues cut, and not intentionally, the song was almost all keyboards. Taylor had to argue with Beck so the song could be in. Thank God Beck thought twice. He fussed about all the songs we had for that album. He didn't want Wild Mountain in because it was a country-folk piece. We had to re-arrange Cocaine to make it sound sort of blueish-like. He didn't want Wooden Nickle in, only the blues version. He didn't want Mary Ann & Country Boy for the same reasons. And Jesse James too. So I got very depressed and uptight and got into heavy drugs. Reeves was sort of dumb after the illness, he aggreed with everything anyone said. Taylor said he was leaving. Phil said he didn't care a bit, but he did. Our talents were being cut from the adolescente: tornar-se "diferente". Mas a doença dera-lhe também uma consciência aguda da dor. Era quase budismo.

Contudo, o período no estaleiro não deixara de ter um lado produtivo. Renato leu como um louco e decidiu se interessar ainda mais seriamente por música. Chegou a criar uma banda fictícia para se distrair no seu quarto de paredes cobertas de fotos, a 42nd Street Band, na qual o cantor/*alter ego* se chamava Eric Russell. Esse sobrenome, compartilhado por um de seus pensadores favoritos, o inglês Bertrand Russell, e sonoramente parecido com duas outras fontes de admiração, o também filósofo Jean-Jacques Rousseau e o pintor primitivista Henri Rousseau, ambos franceses, acabou resultando no "Russo" que adotaria, alguns poucos anos depois, como sobrenome artístico. Na verdade, Renato Russo seria mais que um sobrenome artístico. Se aproximaria de um personagem, de um heterônimo. Tanto que, no começo da carreira da Legião Urbana, Renato Manfredini Jr. era quatro anos mais velho que Renato Russo. Para a 42nd Street Band de Eric Russell, Renato Manfredini Jr. escreveu a biografia, pensou na obra, bolou capas para os discos. Parecia uma banda de verdade. Era um ensaio. Quando, em 1977, aos 17 anos, ele simultaneamente ficou curado da epifisiólise, passou no vestibular para jornalismo no Centro de Ensino Universitário de Brasília (Ceub) — pelo qual se formou mas nunca foi pegar o diploma — e tomou conhecimento do movimento punk, passou da teoria à prática. Com louvor.

Fred Nascimento, guitarrista de apoio nos shows da Legião Urbana (com intervalos) entre 1989 e 1996, costuma dizer que, se Renato cismasse de comprar uma padaria falida na esquina, em seis meses a transformaria na melhor padaria do bairro. É uma boa imagem. Pois ele decidiu — e disse isso literalmente à família — ser muito famoso e formar a melhor banda de rock do Brasil. Eis o homem que não queria ser pego para Cristo.

Mein Got! An aerocraft!
AIN'T IT
DUMMMM
POLLUTION
OVER THE RAINBOW
for so many things are happening!
for OUTRAGEOUS
SUNFLOWER
TO OZ.
ONLY
50 DOLLARS
CASH ONLY
$.50
is SHE ESCAPING?
1. can be:
delicious sandwich
up side down pie
a new bowling set.

EU NÃO ESTOU IMPRESSIONADO

No finalzinho dos anos 70, tendo os Sex Pistols ateado fogo às suas camisetas rasgadas, para muitos dos seus militantes e simpatizantes o bastão do movimento punk havia sido passado para a nova banda do vocalista Johnny Rotten, o popular Joãozinho Podre, então de volta ao seu nome verdadeiro, John Lydon. Após uma temporada de desintoxicação mental na Jamaica, ele arrebanhara o guitarrista Keith Levene — que havia tocado numa das primeiras formações do outro grande grupo do punk inglês, o The Clash —, o baixista Jah Wooble e o baterista Jim Walker e formara o Public Image Ltd., PiL para os íntimos. Os punks de Brasília estavam bastante familiarizados com o PiL, desde que André Mueller começara a mandar fitas cassete de Sheffield, Inglaterra, onde havia morado por dois anos acompanhando seu pai, economista e professor da Universidade de Brasília (UnB). Renato Manfredini Jr. venerava o grupo de Lydon, inclusive pelo papel propelente de Wooble, titular do mesmo instrumento que ele tocava, baixo. Chegava a usar, suprema declaração de amor, o *badge* (broche) da banda pregado na roupa.

No entanto, como vive acontecendo na música pop, santos são vestidos e despidos do dia para a noite. Numa delas, comecinho dos anos 80, noite de festa do pessoal de Brasília, André pontificou: "O PiL já era". Conhecido ironicamente como André Nove Volts — por suas freqüentes e infrutíferas tentativas de chocar os outros —, a afirmação foi recebida com desdém por Renato, na época já membro de uma banda chamada Aborto Elétrico: "André Mueller, eu não estou impressionado". Então, o futuro baixista da Plebe Rude pegou *Metal Box* do PiL e jogou no chão. Renato mais uma vez não passou recibo: "André Mueller, eu não estou impressionado". Porém, quando André começou a sapatear em cima do vinil, ele teve de capitular: "Eu estou impressionado! Eu estou impressionado!".

Há versões distintas do episódio. Numa delas, André joga o disco pela janela. Noutra, Renato se aproxima apenas para perguntar se ele é o feliz possuidor do disco do PiL. Abacaxi com vodca e quase trinta anos de distância dão nisso. Seja lá como tenha sido, os dois baixistas — mais o baterista Felipe Lemos — eram vistos como irmãos mais velhos na cena punk brasiliense, da qual, meses adiante, emergiriam os grupos Plebe Rude, Legião Urbana e Capital Inicial, entre outros, de vida e obra mais efêmeras. Um dos que viam André como uma espécie de guru era Philippe Seabra, nascido em Washington D.C., caçula entre os três filhos do ex-cônsul dos Estados Unidos em Belém do Pará com a filha de um político local, vinte anos mais nova. Philippe havia chegado a Brasília em 1975, aos 8 anos de idade, e imediatamente sido matriculado na Escola Americana, como forma de amenizar o impacto da língua portuguesa. Em 1980, ainda estava ouvindo Kansas, Boston e Chicago, "só nomes geográficos", quando um dos cassetes mandado por André, de Sheffield, para o irmão, Bernardo, aluno na Escola Americana, caiu entre seus ouvidos.

Foi uma revelação. Na fita, entre outros grupos punk, os irlandeses Stiff Little Fingers cantavam "78 RPM". Aos 13 anos, a vida de Philippe Seabra estava mudada. Mais ou menos a mesma coisa havia acontecido com Renato Manfredini Jr., sete anos mais velho, cerca de três anos antes. Quem lhe trouxera as boas novas, no entanto, havia sido um professor da Cultura Inglesa, um escocês chamado Iain. De volta de uma viagem às Ilhas Britânicas na virada de 1977 para 1978, ele falou de uma banda chamada Sex

Pistols, que, entre outras coisas, havia chamado a rainha de "débil mental" e fazia rocks viscerais de três ou quatro acordes. Para quem, como Renato, ainda ouvia e tentava tirar as músicas de Emerson, Lake & Palmer, aquilo era simultaneamente um ultraje e uma fonte de fascínio. Demorou algum tempo, contudo, antes de ele conseguir ouvir algum punk rock. A oportunidade foi propiciada por um disco-coletânea que circulou junto com a hoje extinta revista *Pop*. O jornalista Ezequiel Neves — que breve iria se tornar padrinho de uma banda carioca chamada Barão Vermelho, com um vocalista chamado Cazuza, punk menos no som do que na atitude — selecionou faixas dos Pistols, dos Ramones, de Richard Hell and The Voidoids, entre outros, e incendiou a imaginação de Renato. "Eu não podia tocar como Keith Emerson de uma hora para outra", resignou-se.

O movimento punk estava sendo gestado de ambos os lados do Atlântico Norte havia alguns anos. Embora a mídia tenha lhe explorado o lado mais folclórico, como calças rasgadas, alfinetes em lugares insólitos e cabelos coloridos, sua essência estava numa volta às raízes proletárias do rock'n'roll, nascido da contracultura instintiva de negros e de brancos pobres. Na década de 60, de carona na beatlemania, um fenômeno autêntico mas nem por isso menos vendável, o gênero havia sido cooptado pelo sistema — e, pior, nem havia percebido isso. Àquela altura, seus astros tinham aviões particulares e limusines quilométricas, mansões e *jacuzzis*, uísque 12 anos e drogas caras. Estavam muito, muito distantes da rapaziada da esquina, dos seus sonhos, de suas frustrações, de suas dificuldades financeiras, de seus anseios políticos. Tinham perdido a razão para lutar. Musicalmente, seu som fora se sofisticando, flertando com a música clássica e com o jazz como se deles precisasse de uma bênção, fora se tornando auto-referente, se encerrando num círculo vicioso de virtuosismo. Quem estava de fora não podia entrar. Em meados dos anos 70 o rock era um clube fechado com sede em Beverly Hills. Ex-empresário do grupo protopunk New York Dolls, o inglês Malcolm McLaren viu no comportamento deles, e de seus pares, como os pseudoprimos chicanos Ramones, uma chance de ouro. De volta à Grã-Bretanha recrutou uns marginais para formar os Sex Pistols, um fenômeno vendável mas nem por isso menos autêntico — os antípodas dos Beatles. "Anarchy in the UK" era o lema londrino de 1976. Como por mágica, outras bandas começaram a dar as caras, algumas explicitamente politizadas, como o The Clash, maoísta. Vieram Buzzcocks, The Damned, The Jam, Sham 69 e Stiff Little Fingers, aquele que galvanizou Philippe Seabra.

Para Renato, a atitude punk por excelência — *do-it-yourself*, faça você mesmo — era a resposta para as suas preces. Ele não ia mais precisar perder tempo em aulas de piano. Suas aulas de violão em Brasília, com o professor João Augusto, iam dar conta do recado. O movimento punk, por assim dizer, devolvia o poder às mãos do povo. Bem, devolver o poder às mãos do povo era, na Brasília do final dos anos 70, capital de um país governado por um general chamado Ernesto Geisel (no poder entre 1974 e 1979), uma idéia subversiva, tanto literal quanto simbolicamente. O presidente, no entanto, estava começando um processo "lento, seguro e gradual" de abertura política, processo que enfrentava, dentro do próprio regime, a oposição de "bolsões radicais mas sinceros" de militares de extrema-direita. Nesse contexto, o novo rock brasileiro — não somente o do pessoal de Brasília, mas também o da Blitz carioca e o do Ultraje a Rigor paulista — iria testar a elasticidade da abertura. Para realmente florescer, o gênero precisa do ar puro da democracia. Não pode existir rock onde há censura. E circulação de idéias — mais que isso, a capacidade de ter idéias — era o forte em certos segmentos da capital federal.

A cidade fervilhava de filhos de professores universitários e de diplomatas, brasileiros e estrangeiros. Estavam entre os primeiros André Mueller e seu irmão Bernardo, Felipe *Fê* Lemos e seu irmão Flávio, Carlos Augusto *Gutje* Woorthmann. Entre os outros, por vezes chamados pejorativamente de *itamaratecas*, estavam Felipe *Bi* e Pedro Ribeiro, Fernando *Dinho* e Afonso *Ico* Ouro Preto, Eduardo *Dado* Villa-Lobos. Entre os filhos de diplomatas estrangeiros estavam Philippe Seabra e André Pretorius, filho do embaixador da África do Sul no Brasil. Havia ainda os filhos de militares, Herbert Vianna e Renato *Negrete* (ou *Billy*) Rocha, por exemplo. Se seu pai não fosse piloto da Aeronáutica, o futuro cantor dos Paralamas dificilmente teria ganho uma guitarra importada, Fender, para eternas lembrança e inveja de seus amigos.

De qualquer forma, muitos deles, por força de uma ou de outra circunstância, haviam morado no exterior, tinham as cabeças abertas para o que se fazia de rock lá fora, iam às salas de cinema de arte, liam, falavam inglês. Renato Manfredini Jr. já era até professor na Cultura Inglesa, onde estudava Felipe Lemos, com quem disputava, na biblioteca, o exemplar mais recente do jornal musical *Melody Maker*. Nesse quadro anglófono e anglófilo, havia uma exceção: Eduardo Villa-Lobos, nascido em Bruxelas, na Bélgica, quando seu pai lá servia como diplomata, fora alfabetizado em francês. Isolados do resto do país, e ao mesmo tempo tão perto do exterior, morando numa cidade entediante, sem opções de lazer, aqueles garotos foram gestando uma cultura própria, independente da dos roqueiros do Rio de Janeiro e de São Paulo. A base era a Colina, nome dado a quatro prédios construídos para abrigar professores e funcionários da UnB, na Asa Norte de Brasília. Era um enclave de liberdade. Drogas? Não era por aí. Maconha e garrafões de vinho, em doses cavalares, não mais. Lá moravam, por exemplo, os irmãos Lemos, os irmãos Mueller e Gutje Woorthmann. Para lá começaram a convergir moradores de outras áreas da cidade, como Renato Manfredini Jr. e Renato Rocha.

Difícil dizer se o filho do economista do Banco do Brasil foi se aproximando da turma por conta do punk rock ou foi se aproximando do punk rock por causa da "Turma da Colina". O fato é que não muito tempo antes ele passara seis meses economizando 74 cruzeiros — uma pequena fortuna — para comprar um LP da banda progressiva holandesa Focus na Modern Sound, loja em Copacabana, Rio de Janeiro, cidade onde ainda residiam seus avós, tios e primos. No sentido inverso, Fê Lemos viria a se espantar com o tamanho da discoteca de rock dos anos 60 e 70 que Renato formara em seu quarto na SQS 303. Era a troca voraz de figurinhas, característica do primogênito dos Manfredini. Num dos primeiros ensaios do grupo Aborto Elétrico, num puxado da embaixada da África do Sul, ele, o guitarrista André Pretorius e o baterista Alex Seabra, irmão mais velho de Philippe, ainda tentariam tirar músicas do Focus, do Emerson, Lake & Palmer e do Edgar Winter Group. Logo logo, porém, como contaria Renato mais tarde, "ouvir Eric Clapton era politicamente incorreto".

Ainda assim, Renato estava se transformando num punk diferente. Lia I-Ching e tarô para todo mundo na turma. E todo mundo achava legal. Aliás, dessa turma em progressão geométrica — crescendo de cinco para cinqüenta pessoas em pouco tempo — faziam parte até sujeitos com cabelos compridos, como Dinho Ouro Preto e Dado Villa-Lobos, que dividiam apartamento na SQS 213. André Mueller vendia vinho. Fê Lemos fazia camisetas em *silk screen*. Cada um tinha um dom, posto a serviço da comunidade. Cada um tinha a sua banda favorita. Renato "era o maior fã" do PiL, Fê do vovô Iggy Pop. Renato se vestia como David Byrne. Chris Brenner, uma das meninas, como Nina Hagen. Também já estavam presentes os "carecas", sem, no entanto, os rasgos de violência que marcariam essa tribo em outros lugares e tempos. Faziam parte dessa subturma, entre outros, Renato Rocha e Jander *Ameba* Ribeiro. Sua principal diversão era dançar Dead Kennedys "chutando o teto" das salas de estar do Plano Piloto. As marcas dos coturnos pelas paredes depois eram admiradas e exibidas com orgulho. "A turma parecia todos os personagens de *Minha linda lavanderia* (filme de Stephen Frears) juntos, usando vestimentas díspares", lembraria Renato Manfredini Jr. A turma, na verdade, se dividia em dois grupos: os seus membros originais e os "figurantes", isto é, aqueles que ou chegaram depois ou não eram músicos.

Além dos sacrossantos quartos dos "irmãos mais velhos" Renato e André, esse povo gostava de penetrar festas. Às vezes, nem era proposital. Tinha-se um endereço. Trocava-se um N de norte por um S de sul e lá estava a turma entrando na festa errada, numa superquadra do outro lado da cidade. De forma pacífica, nada da postura jiu-jiteca hoje em voga. O máximo de violência contra os presentes era passar a tocar os próprios discos e fitas, de punk rock. Para quem não curtia Slits ou Penetration era o bastante. A violência, quando surgia, vinha de fora da turma, normalmente da polícia do Distrito Federal, ainda imbuída do espírito repressor que pairava sobre o Brasil no governo Figueiredo (1979-1985). Aquele bando de gente esquisita vivia tomando duras da polícia. Mais articulado que os amigos, Renato tentava conversar com os PMs: "Qual é o seu signo?". Nem sempre dava certo. Volta e meia ele tomava um tapa. No mínimo, era ironizado pelos meganhas. Ele e Marcelo Bonfá um dia foram parados pela PM. Vendo cabelos brancos na cabeça de Renato, o soldado deu-lhe uma sacaneada: "Ah, você é o vovô, né?".

Meio como resposta, no Aborto Elétrico, ele e Flávio Lemos comporiam uma música chamada "Veraneio vascaína", cuja letra diria: "Cuidado, pessoal, lá vem vindo a Veraneio/ Toda pintada de preto, branco e vermelho/ Com números do lado, e dentro dois ou três tarados/ Assassinos armados, uniformizados/ Veraneio vascaína vem dobrando a esquina." Um pouco mais tarde, Philippe Seabra escreveria uma música chamada "Proteção", que dizia a mesma coisa: "A PM na rua, nosso medo de viver/ Um consolo é que eles vão nos proteger/ A única pergunta é: me proteger do quê?/ Sou uma minoria mas pelo menos falo o que quero/ Apesar da repressão".

Nalgum ponto entre a composição de "Veraneio vascaína" e a de "Proteção", Renato e Philippe se envolveram num episódio bem representativo do espírito do primeiro — e da turma que ele representava melhor do que ninguém. Philippe foi acusado de ter empurrado alguém dentro de uma piscina, durante uma festa de *réveillon*. Havia um copo quebrado e esse alguém tomou quarenta pontos no braço, coisa feia. Mas o garoto americano de 15 anos era inocente: estava em Guarapari, Espírito Santo, com a família. Dias depois, a Turma da Colina estava batendo papo e tomando cachaça no Centro Comercial Gilberto Salomão, Lago Sul, quando chegou um comboio de *playboys* querendo bater em Philippe. Este se escondeu dentro de um carro. "Quem é o Philippe?", perguntaram os rapazes fortinhos. Antônio Marcos Lopes de Souza, que ficaria mais conhecido como *Loro Jones*, guitarrista do Capital Inicial, respondeu: "Todo mundo aqui é Philippe!". O líder do comboio punitivo não pestanejou: "Ah, é? Então vai todo mundo aqui entrar na porrada!". Ânimos exaltados, entra em cena Renato: "Calma, gente, nós somos minoria! Vamos bater no sistema, não em nós mesmos!". O brucutu foi adiante: "Então teu nome é Sistema!".

No seio da Turma da Colina, Renato sentia-se em casa. Numa fase da vida em que os jovens estão extremamente preocupados com a aparência, ele era não muito alto (1,76 metro), era muito branco, de cabelos e pêlos negros e ainda puxava da perna esquerda, seqüela da epifisiólise. De seus amigos punks ele não sofria rejeição, muito pelo contrário. Era querido pela inteligência, pelo humor e pelo bom senso. "E os *playboys* não entendiam por que as meninas mais inteligentes e mais legais queriam ficar com a gente", divertia-se. "Eles contavam para o Bernardo Mueller, futuro Escola de Escândalo. O Bernardo era todo arrumadinho e convivia um pouco com esses caras. E os caras falavam para ele: 'Pô, a gente tem os carros e tudo e as meninas só querem saber de vocês, seus punks fedorentos'."

CUIDADO, PESSOAL,
LÁ VEM VINDO A VERANEIO

TODA PINTADA DE
PRETO, BRANCO
E VERMELHO

COM NÚMEROS DO LADO,
E DENTRO DOIS OU
TRÊS TARADOS

ELÉTRICO

Opa, o que é isso?

Numa tarde arquetípica de Brasília, provavelmente 1980, um bando de adolescentes entediados estava sentado batendo papo nos pilotis da SQS 213, superquadra destinada a diplomatas e bancários. Foi quando Dado Villa-Lobos e Dinho Ouro Preto viram quatro caras esquisitos surgirem na distância. Parecia filme de caubói. Mas em vez de chapéus e revólveres aquela quadrilha usava camisetas e jeans rasgados e portava latas de tinta em *spray*. Eles passaram pelos adolescentes, chegaram perto de um muro e picharam o logotipo do grupo Aborto Elétrico, AE, sendo o "A" aquele dos anarquistas. Dinho se alvoroçou: "Opa, o que é isso?". Porém, naquele momento, ele e Dado travaram conhecimento apenas metafórico com os caras que, tempos depois, descobririam ser Renato Manfredini Jr., Felipe e Flávio Lemos e Antônio Marcos Lopes de Souza. Dado já tinha sido apresentado ao punk rock, mas não ligava o nome à pessoa. Um pouco antes ele caíra de quatro diante da versão que os Ramones haviam feito para "Do You Wanna Dance?", de Bobby Freeman, em seu álbum duplo ao vivo *It's Alive*. Na Paris onde morara de 1975 a 1979, as festinhas pré-adolescentes eram animadas por aqueles roquinhos dos anos 50 e 60, tipo Bill Haley and His Comets, Little Richards, Jerry Lee Lewis, Bobby Freeman.

Assim como Dinho, Dado era filho de um diplomata, Jaime Villa-Lobos, que tocava piano clássico. Nascera em Bruxelas, a 29 de junho de 1965, morara em Belgrado e em Montevidéu. Quando do seqüestro do vice-cônsul brasileiro Aloísio Dias Gomide pelos terroristas tupamaros, em 1970, a família Villa-Lobos, bem como a Ribeiro, de Pedro e de Bi, futuro baixista dos Paralamas do Sucesso, estava no Uruguai. No ano seguinte, Dado veio ao Brasil pela primeira vez, entrando pela semi-árida Brasília e tendo passagens rápidas por escolas de música locais e pelas praias do Rio de Janeiro, onde moravam seus avós. Em 1975, os Villa-Lobos novamente partiram para o exterior, para Paris, onde Dado passou a se interessar um pouco mais por música, indo além dos discos dos pais, Beatles, Chico Buarque, Caetano Veloso. Na capital francesa, ele testemunhou o nascimento do punk rock local e, ao mesmo tempo, descobriu um disco mais velho, *Transformer*, que Lou Reed lançara em 1972, fundamental para sua formação musical. Neste LP, o bardo nova-iorquino, ex-Velvet Underground, cantava o hino "Walk on the Wild Side".

Apesar da cara de bom moço e da diabetes, Dado também dava suas caminhadas no lado selvagem da vida. Durante um certo tempo, em Paris, ele se divertia roubando motocicletas para passear e objetos de valor para vender. Uma de suas primeiras guitarras foi, inclusive, comprada com o dinheiro advindo do furto de um relógio Omega de ouro. "Eu era um delinqüente juvenil", admitiria. Na época, contudo, não tomava drogas ilegais; era apenas o prazer do roubo que o movia. Fumava, isso sim, desbragadamente. Fumava tanto que, um dia, quando já estava de volta a Brasília, Renato Manfredini Jr., vocação para irmão mais velho, virou para ele e disse: "Cara, você não sabe como esse cigarro está te fazendo mal. Pense no seu pulmão como um cimento fresco. Você está pisando em cima, deixando marcas, pegadas que você não vai ter como apagar". Dado retrucou: "Ah é, você fuma também..." Renato, lógico, implacável: "O meu pulmão não, é diferente. O cimento está quase seco, o cigarro deixa poucas marcas". Àquela altura, 1980, Renato tinha 20 anos, Dado, 15. Renato batizou-o de "presidente do Clube da Criança Junkie". Dali a seis anos, a música "Índios" (incluída no segundo disco da Legião, *Dois*) seria concebida para ser o hino do clube, uma paródia a programas de TV como os da Xuxa. Uma das idéias originais era que ela fosse cantada por um coral de crianças.

Renato era mais experiente que Dado também no fazer música. Dois anos antes desse diálogo edificante sobre os malefícios do fumo, ele dera partida ao Aborto Elétrico. Tendo recém-descoberto as delícias dos Sex Pistols, Renato encontrara um clone de Sid Vicious numa noite da Taverna, SQS 103, bar de encontro dos poucos punks de Brasília em 1978. André Pretorius, de 17 anos, era filho do embaixador da África do Sul no Brasil e estudava, como Philippe Seabra e seus irmãos, na Escola Americana de Brasília. Tinha quase 2 metros de altura, era bonito, louro e andava com as roupas rasgadas. Num tempo em que um simples broche da banda certa podia selar uma amizade para toda a vida, Renato se aproximou do desconhecido e perguntou, no seu inglês de Cultura Inglesa: "Hey, man, do you like Sex Pistols?". A resposta foi afirmativa. Pretorius tocava guitarra; Renato, baixo. Ficaram tocando como uma dupla durante algum tempo, de vez em quando ensaiando com Alex Seabra nas baquetas, até que um *kit* de bateria importado por Fê Lemos chegou da Inglaterra — e assim, com Renato, Pretorius e Fê, cristalizou-se a primeira formação do Aborto Elétrico. Até bem recentemente, ao menos, ainda havia uma pichação "AE" no poço do elevador social do bloco B da SQS 303.

Para a escolha do nome, existem, como em tantas outras coisas envolvendo Renato Manfredini Jr., duas versões. Segundo o próprio Renato, Aborto Elétrico era uma referência a um cassetete usado pela polícia do Distrito Federal, que, posto em ação para dissolver uma manifestação em 1968, induzira uma jovem grávida ao aborto. Segundo Fê, o nome nascera de um *brainstorm* em torno do nome de uma banda americana, Electric Flag. Estando os três membros da banda de acordo com a presença da palavra "elétrico", foram experimentando outras que caíssem bem com ela. Pretorius sugeriu "aborto", aprovada por aclamação. Aborto Elétrico. Renato, porém, gostava de lembrar que os anárquicos Sex Pistols tinham uma música contra o aborto ("Bodies", do LP *Never Mind the Bollocks*). Ele mesmo não ia tão longe, mas entendia o contexto da música: tratava-se de uma crítica feroz ao aborto induzido pela irresponsabilidade sexual. De qualquer forma, aquele nome parecia ser adequado a uma banda formada para protestar contra o regime militar.

O Aborto Elétrico esteve para o rock de Brasília mais ou menos como, anos adiante, o Green River e o Mother Love Bone estariam, juntos, para o grunge de Seattle. Era uma banda-matriz. Nos Estados Unidos, o primeiro conjunto contava, entre outros, com o vocalista Mark Arm (futuro Mudhoney), os guitarristas Bruce Fairweather e Stone Gossard, e o baixista Jeff Ament (os três futuros Mother Love Bone, os dois últimos futuros membros do Pearl Jam). De quebra, o MLB teria como cantor Andrew Wood, morto por superdose de heroína em 1990. Um ex-membro do Aborto Elétrico também morrera dessa forma, em 1987, quando já morava na Alemanha: André Pretorius. Se Fê Lemos (futuro baterista do Capital Inicial) havia sido convertido à causa punk durante a estada em Leicester, Inglaterra, para onde seu pai havia ido fazer mestrado em biblioteconomia, e Renato (futuro vocalista e baixista da Legião Urbana) ainda tinha uma quedinha por rock progressivo, se ambos se davam bem com suas famílias, Pretorius era essencialmente um rebelde, vivendo às turras com o pai embaixador, representante de um regime racista que implicava com o filho porque ele tinha amigos negros. Lembre-se de que, quando o Aborto Elétrico se formou, Nelson Mandela ainda amargaria mais 12 anos de cadeia, só sendo libertado em 1990. Não deixa de ser irônico que a primeira festa punk de Brasília tenha sido realizada na embaixada da África do Sul, que também servia de residência para os Pretorius (e, mais além, de sala de ensaios para o Aborto Elétrico).

A ovelha negra da família sul-africana ainda é lembrada pelo pessoal da Turma da Colina por se queimar com cigarros nas festinhas e por ter cortado os dedos nas cordas da sua guitarra na primeira apresentação pública do Aborto Elétrico, em janeiro de 1980, num bar do Gilberto Salomão, o Só Cana — e nem por isso, sangue escorrendo, ter parado de tocar. Foi também o único show de Pretorius com a banda. No mesmo ano, ele foi despachado de volta à África do Sul para prestar serviço militar obrigatório.

"Foi uma comoção na Turma", lembraria Renato, anos mais tarde. E também não deixava de ser um castigo: o guitarrista do Aborto queria lutar, mas não com aquela farda. Pretorius passou dois anos trabalhando no serviço de inteligência do Exército racista. Voltou mudado, angustiado, tenso, em 1982. Não ficou muito tempo em Brasília, onde deixara a namorada (e futura esposa) Virginie Rio Branco. Mudou-se para Washington, morando com os irmãos mais velhos de Philippe Seabra, Alex e Richard. De lá, Pretorius foi para a Alemanha, onde morreria. Conscientemente ou não, acabou tendo o mesmo fim que o ídolo Sid Vicious, vítima de superdose de heroína em 2 de fevereiro de 1979. Quando este morreu, Renato, que também se identificava com o baixista dos Sex Pistols, mandou uma carta para o *Melody Maker*, assinando com seu pseudônimo da 42nd Street Band, Eric Russell. A carta foi publicada na edição de 31 de março do jornal especializado inglês, deixando-o orgulhoso. Entre outras coisas, Renato/Russell escrevia: "Nada me atingiu do jeito que a morte do Sid me atingiu. Chorei a noite toda, e era como uma espécie de grito, doloroso, não só por Sid mas por tudo. Perdi completamente o controle de mim mesmo. Sabe, nada acontece aqui, nunca. [...] Mas vou passar por isso, e não vou perder (ganhar) como Sid Vicious fez. Eu vou fazer por ele o que ele fez por mim".

Vicious seria homenageado pelo Aborto Elétrico com a canção "Anjos mortos". Mais que isso, a depressão trazida por seu desaparecimento, aos 21 anos, mudara o próprio som do grupo. Inicialmente, como ninguém na banda dominava muito bem os instrumentos — mais que uma mera limitação técnica, um imperativo ideológico punk —, Renato, Pretorius e Fê começaram devagar. Literal e metaforicamente. Os três levaram meses tentando tirar os três ou quatro acordes de "Now I Wanna Sniff Some Glue", dos Ramones. "Sabe aquela coisa de errar na entrada '1, 2, 3, 4... Peraí, errei, vamos de novo'? Pois é", contaria Renato, que na época, por incrível que pareça, não tinha coragem de cantar, tarefa que ficava com Pretorius. "Nosso som era uma zoeira lenta, mas parecia rápido. Era uma cruza de Stooges, MC5 e Sex Pistols tipo *Submission*." Juninho ganhara de presente do pai um amplificador Vovox Giannini com quatro entradas, orgulhosamente carregado pelas escadas até o terceiro andar do bloco A da Colina, onde morava Fê. Todos se plugavam nele, o que tornava o som do Aborto uma maçaroca incompreensível. Bem punk. Mas seu Renato Manfredini ainda dava carona para o filho, os amigos e o equipamento na sua Variant. "Ciao, seu Renato", despediam-se os rapazes.

Com a morte de Vicious, não só o Aborto mas toda a Turma da Colina trocou de casca. De punk a pós-punk. Foi mais ou menos o momento em que, mundo afora, a revolta dos Sex Pistols e do The Clash viu-se num beco sem saída e, tendo reprimida sua ira santa, deprimiu-se, dando origem a subtribos, mais ou menos pesadas, mais ou menos politizadas. Renato, Fê e alguns outros passaram a ouvir Gang of Four, Joy Division, Psychedelic Furs, Echo & The Bunnymen e The Cure. Os carecas embicaram na direção dos Dead Kennedys e demais grupos *hardcore*. As meninas passaram a gostar mais de new wave: The Police, Elvis Costello e o pessoal do selo 2 Tone, de ska. Para o Aborto Elétrico, foi a hora de cogitar sofisticar o som, o que não foi feito de uma hora para outra. Na verdade, tal mudança só ocorreu depois que Pretorius foi para a África do Sul. Quando isso aconteceu, Renato passou para a guitarra e o irmão de Fê, Flávio, entrou no baixo. O número de músicas no repertório se multiplicou rapidamente. Delas, muitas não seriam gravadas nem pela Legião nem pelo Capital nos discos lançados a partir de meados dos anos 80: "Admirável mundo novo", "Here Come the Reds", "(It's All Because of My New) Sneakers", "Anjos mortos", "Verde e amarelo", "Piauí imaginário". E algumas só seriam registradas em 2005, no disco do Capital batizado *Aborto Elétrico*: "Benzina", "Helicópteros no céu", "Construção civil", "Anúncio de refrigerante", "Heroína", "Despertar dos mortos". Todas eram, de uma forma ou de outra, políticas. A versão original de "Ficção científica", por exemplo, citava o projeto Jari, fracassada aventura extrativista do milionário americano Daniel K. Ludwig na Amazônia. "A gente protestava contra tudo aquilo que ouvia falar na UnB", contaria Renato.

As músicas que foram registradas são a base de um monumento. Nelas, se encontra a preocupação social do Aborto Elétrico — e de seu principal letrista, Renato ainda Manfredini Jr. breve Russo — e do meio peculiar de onde o grupo emergiu. Classe média alta, bem-nascida, bem-educada, bem-informada, não-alienada. A primeira letra escrita por Renato seria transformada em hino dessa geração, dita "Coca-Cola". A música era punk até a medula: protestava contra os Estados Unidos da América (na abreviatura em inglês, presente também numa música do Clash, "I'm So Bored With the USA"), falava em lixo comercial e industrial, em cuspir de volta. "Somos os filhos da revolução/ Somos burgueses sem religião/ Nós somos o futuro da nação/ Geração Coca-Cola" era o refrão, daqueles feitos para serem cantados em barricadas — como se fosse possível fechar com barricadas as largas vias expressas de Brasília, que pareciam ter sido projetadas por Lúcio Costa e Oscar Niemeyer sob a inspiração do velho barão Georges Eugène Haussmann, mentor dos largos bulevares contra-revolucionários da Paris da segunda metade do século XIX. Sete anos depois de escrita, "Geração Coca-Cola" seria um dos grandes sucessos do primeiro LP da Legião Urbana, posto nas lojas nos primeiros dias de janeiro de 1985.

As músicas do Aborto Elétrico também foram rechear o disco de estréia da sua outra cria, o Capital Inicial. O LP lançado em 1986 pela PolyGram trazia, entre composições originais da banda de Dinho Ouro Preto (voz), Antônio Marcos *Loro Jones* Lopes de Souza (guitarra), Flávio (baixo) e Fê (bateria), como as ótimas "Leve desespero" e "Psicopata", faixas compostas no tempo em que os irmãos Lemos tocavam com Renato. Estava lá aquela velha canção sobre abuso e violência policial, "Veraneio vascaína". Estava lá "Música urbana" (de autoria dos três e de André Pretorius), um retrato de Brasília nos versos "as ruas têm cheiro de gasolina e óleo diesel/ Por toda plataforma, toda plataforma, toda plataforma/ Você não vê a torre [...] Não me importam os seus atos/ Eu não sou mais um desesperado". E, pairando sobre as outras, estava lá a apocalíptica "Fátima". Afinal revelado em maio de 2000, durante a visita do Papa João Paulo II a Portugal, o terceiro segredo de Fátima (que teria sido confidenciado a três pequenos pastores pela Virgem Maria em 13 de julho de 1917) frustrou muita gente: dizia respeito ao atentado sofrido pelo Sumo Pontífice em 13 de maio de 1981, na praça de

VOCÊS ESPERAM UMA
INTERVENÇÃO DIVINA
MAS NÃO SABEM QUE O TEMPO
AGORA ESTÁ CONTRA VOCÊS

E DE REPENTE
O VINHO VIROU ÁGUA
E A FERIDA NÃO CICATRIZOU
E O LIMPO SE SUJOU
E NO TERCEIRO DIA
NINGUÉM RESSUSCITOU

São Pedro, em pleno Vaticano, não ao fim do mundo. O mistério ao menos serviu para inspirar Renato a escrever uma de suas melhores letras.

"Fátima" foi composta da mesma forma que tantas e tantas músicas seriam compostas nos tempos vindouros da Legião Urbana: a partir de uma *jam*. Num dos ensaios do Aborto Elétrico, Flávio Lemos começou a tocar alguma coisa, qualquer coisa, sendo logo acompanhado por Fê. Em cima daquela melodia, Renato escreveu os 24 longos versos da canção co-assinada com o baixista. Em dez minutos de concentração, enquanto os irmãos Lemos tocavam até cansar. "Quase como se estivesse psicografando", diria Flávio ao jornalista Carlos Marcelo, na revista *Showbizz* de janeiro de 2000. "De onde veio eu não sei, só sei que ele estava bem inspirado." A letra é de uma beleza sombria, dos dois primeiros versos — "Vocês esperam uma intervenção divina/ Mas não sabem que o tempo agora está contra vocês" — aos quatro últimos — "E de repente o vinho virou água/ E a ferida não cicatrizou/ E o limpo se sujou/ E no terceiro dia ninguém ressuscitou". Na pior das hipóteses, Flávio dera-lhe um belo gancho. Porque talvez Renato já tivesse fragmentos daquela letra na cabeça. A religião sempre estivera presente na casa dos católicos Manfredini e, ao mesmo tempo, não era incomum que Juninho anotasse idéias para retrabalhar mais tarde. Tinha pilhas de cadernos preenchidos por poemas-quem-sabe-letras.

O segundo disco da Legião Urbana, *Dois* (1986), também incluiria uma música do repertório do Aborto Elétrico, a amarga "Metrópole", sem falar numa "Música urbana 2". Alguns dos versos da primeira flagravam o desprezo que o jornalista Renato Russo sentia pelos aspectos sanguissedentos da profissão que exerceria durante algum tempo no *Jornal da Feira*, programa de rádio do Ministério da Agricultura: "É tão emocionante um acidente de verdade/ Estão todos satisfeitos/ Com o sucesso do desastre:/ Vai passar na televisão". Freqüentemente ele ralhava com os pais se os pegava assistindo ao *Jornal Nacional*: "Não sei como vocês agüentam ver isso... É só desgraça!". Dona Maria do Carmo às vezes tinha a impressão de que o filho "carregava o mundo nas costas". Renato podia ficar angustiado com as imagens de gente passando fome na Conchinchina. Era como se ele se sentisse co-responsável pela dor daquelas pessoas. Por isso, preferia passar por cima do noticiário e se atracar com os cadernos culturais e literários dos jornais, sem falar nas suas amadas revistas estrangeiras. Anos depois, morando sozinho em Ipanema, Renato manteria uma conta corrente numa grande banca de jornal na rua Visconde de Pirajá, em frente à praça Nossa Senhora da Paz, a poucos quarteirões do apartamento da Nascimento Silva.

O terceiro disco da Legião Urbana trazia, já no título, a marca do Aborto Elétrico. Chamava-se *Que país é este 1978/1987*. Para início de conversa, a Legião sequer existia em 1978. A banda de Renato em atividade entre este ano e 1981 tinha outro nome. E "Que país é este" era uma música do tempo do trio com André Pretorius e Fê Lemos, era uma música de protesto, um rugido que, levado por Dado Villa-Lobos, Renato Rocha e Marcelo Bonfá, faria tremer muito estádio Brasil adentro. "Nas favelas, no Senado/ Sujeira para todo lado/ Ninguém respeita a Constituição/ Mas todos acreditam no futuro da nação" era a primeira estrofe. Quando o LP homônimo foi lançado, em dezembro de 1987, trazia um texto não-assinado de Renato, explicando por que, apesar do sucesso absoluto da música nas apresentações ao vivo do Aborto e da Legião, "Que país é este" nunca havia sido gravada antes: "Porque sempre havia a esperança de que algo iria realmente mudar no país, tornando-se a música então totalmente obsoleta". Até hoje ela continua atual, infelizmente.

Que país é este trazia ainda duas músicas que faziam parte do repertório do Aborto Elétrico: "Conexão amazônica" e "Tédio (Com um T bem grande pra você)". A primeira era uma parceria com Fê e, embora não estivesse entre as melhores letras de Renato, continha um dos seus versos mais memoráveis: "Mas alimento pra cabeça nunca vai matar a fome de ninguém". Era uma crítica a conversas intelectualizadas e, por tabela, à MPB, que se perdera do público pelo recurso persistente a metáforas, praticamente imposto pela censura do regime militar. Era, como "Tédio", a idéia *stoneana* do "what can a poor boy do except to sing for a rock'n'roll band?" aplicada àquela cidade que o antropólogo Hermano Vianna, irmão de Herbert, descreveria assim num texto pioneiro sobre o rock local, chamado "Ai de ti, Brasília", publicado no número 1 da revista *Mixtura Moderna*, de 1983: "Morar lá é barra pesada. Brasília é fria, monótona, depressiva. A capital da esperança ocupa lugares de destaque em estatísticas pouco comuns: é o local, no Brasil, onde ocorrem mais suicídios e onde se consomem mais drogas." Ou, na visão de Renato, "Se eu não faço nada, não fico satisfeito/ Eu durmo o dia inteiro e aí não é direito/ Porque quando escurece, só estou a fim de aprontar/ Tédio com um T bem grande pra você".

O Aborto Elétrico apresentava essas músicas em shows por bares e lanchonetes, como o porão do Cafofo e o lado de fora da Food's. Por questões ideológicas, sempre sem cobrar ingresso. Foi assim que Dado Villa-Lobos e Dinho Ouro Preto assistiram pela primeira vez a uma apresentação de três membros daquele povo estranho que pichara "AE" na SQS 213. O Aborto — que viria a se tornar um quarteto com a entrada de um segundo guitarrista, Ico Ouro Preto, irmão de Dinho, que, no recreio da Escola Americana, juntava uma multidão em torno de sua interpretação ao violão para "Stairway to Heaven", do Led Zeppelin — também se apresentava nas cidades-satélite de Brasília e em festivais estudantis. Um desses shows, realizado ao ar livre, no Festival Interno do Colégio Objetivo (Fico), foi presenciado pela família Manfredini, que ficou impressionada com a performance de seu primogênito em cima do palco. Após ver o Aborto tocar, seu Renato elogiou: "Filho, vocês já têm uma postura profissional, parabéns!". Juninho ficou sem graça: "Ah, que é isso, pai, o senhor só fala isso para nos agradar...". Seu Renato, porém, estava sendo sincero. E Juninho, é provável, falsamente modesto. O pai temia a opção do filho pela vida artística, associava-a a excessos e drogas. Temia também que letras politizadas daquele jeito levassem o menino para a cadeia. "Você vai acabar preso e eu não vou tirar você...", alertava, entre o sério e o brincalhão. No mesmo tom, sugeria que ele devia seguir o próprio exemplo e ir trabalhar no Banco do Brasil. "Meu filho, você só sai de lá se matar ou roubar, e tem assistência médica", era a lembrança que Renato guardaria, divertido, dos conselhos paternos.

JOSÉ MURILO JR.

FIQUEI PARALISADO

Aquele show no Fico foi assistido também por um embasbacado aluno do segundo grau: um louro cabeludo chamado Marcelo Augusto Bonfá. "Fiquei paralisado vendo o Renato tocando numa corda só, o tempo todo", recordaria-se o futuro baterista da Legião Urbana. Aqueles punks no palco — e lá estavam também os membros da Blitz 64, cujo baixista Geraldo *Gerusa* Ribeiro, futuro Escola de Escândalo, chegou a ser barrado na porta do Objetivo por causa de sua indumentária — acabaram atraindo para a Colina o paulista de Itapira, cidade próxima a Campinas, onde nasceu a 30 de janeiro de 1965. Lá, nas paradas de Sete de Setembro, Marcelo gostava de tocar tarol e de ter o surdo por perto. Em casa, preferia ouvir rock pesado, Led Zeppelin, Black Sabbath e... Carpenters. Seu pai, assim como o de Renato, trabalhava no Banco do Brasil. E, nessa condição, fora transferido para Brasília em 1977. Quando chegou à capital federal, Marcelo sentiu-se um pouco deslocado no meio de garotos vindos de todo o país. Muita gente nos então dois blocos da SQN 315 tinha vindo do Rio de Janeiro, e ele, do interior de São Paulo. Logo, porém, estava enturmado, na superquadra, nas aulas de natação na AABB e na Escola Classe, onde cursou até a sétima série do primeiro grau, antes de ir para o Objetivo, onde freqüentemente matava aula para fumar maconha no parque Piton Farias.

Logo, também, estava incorporado à Turma da Colina. E era o único a quem Fê Lemos permitia brincar na sua bateria. O primeiro *kit* de Marcelo seria dado de presente pelo pai, durante suas férias em São Paulo. Era uma Pingüim "azul-boate", rapidamente encapada com papel *contact* preto por ele e por Gerusa. Foi graças às férias de Gutje Woorthmann, então baterista da Blitz 64, que Marcelo passou a tocar numa banda. Quando outro futuro membro da Plebe Rude, André Mueller, voltou da Inglaterra, os dois formaram os Metralhaz, que também atendiam por SLU, que também atendiam por Quinta Coluna, todos os codinomes tocando na lanchonete Food's. A cidade estava cheia de bandas, de tal forma que Marcelo tinha a impressão de que só punks habitavam Brasília. Elas se formavam, se separavam e trocavam membros num doce e incessante incesto.

Antes da Plebe Rude, o guitarrista Philippe Seabra havia tocado, ainda nos tempos de Escola Americana, com os filhos do embaixador iugoslavo, Sava (baixo) e Jovan (bateria) Tatic, no Caos Construtivo. Na Blitz 64, Gutje e Gerusa tocaram com Chris Brenner (voz) e Loro Jones (guitarra). Este tocaria também com Dado & O Reino Animal — nome sugerido por Herbert Vianna em troca de uma correia de guitarra —, que era completado por Dado Villa-Lobos, Dinho Ouro Preto (baixo) e Pedro Thompson Flores (teclados). Já o irmão de André Mueller, Bernardo, fizera parte dos Vigaristas de Istambul, com Jeová Stemller (guitarra) e os irmãos Sava e Jovan Tatic, antes de ir parar no Escola de Escândalo passando pelo XXX. Chris Brenner, por sua vez, havia tentado fazer-se ouvir como vocal de apoio do Aborto Elétrico. Ela e Ana Resende. Mas as duas foram engolidas pela zoeira. Numa frase? Todo mundo tinha tocado com todo mundo. E Renato havia sido um ponto de referência para todos. "Ele era o elemento catalisador dessa cena", diria Dado.

Na época do show no Fico presenciado por Marcelo Bonfá e pelos Manfredini, o Aborto Elétrico já estava dando sinais de exaustão. Renato e Fê, duas personalidades fortes, viviam se pegando. Às vezes por besteiras. Às vezes por causa de brincadeiras dos membros da Plebe Rude. Os irmãos Lemos haviam saído da Colina e estavam morando numa casa no Lago Norte.

A caixa de força ficava na rua. Philippe Seabra e André Mueller desligavam a luz durante os ensaios do Aborto e todos os instrumentos, menos a bateria, naturalmente, desapareciam. Fê se irritava: "Porra, Renato...". E o baixista, inocente: "Mas eu não fiz nada!". As discussões podiam durar horas e horas e horas, e ainda eram artificialmente estendidas pelos *plebeus*, que, da casa de Philippe, telefonavam para Fê numa linha e para Renato na outra. Botavam os dois para ficar discutindo, aquela babaquice adolescente do tipo "você ligou para mim! Não, você é quem ligou para mim!".

A banda acabou uma primeira vez — mas sem bate-boca — durante um show na cidade-satélite de Cruzeiro Velho, em 8 de dezembro de 1981, primeiro aniversário da morte de John Lennon. Renato parecia estar com a cabeça no edifício Dakota e não participou dos preparativos. Mais, sumiu um pouco antes da apresentação. "Senti ciúmes e raiva, acho", lembraria Fê. Pior, Renato reapareceu, mas no meio do show errou a letra de "Veraneio vascaína". Fê se irritou e imediatamente jogou-lhe uma baqueta em cima. Renato nada disse ou fez. A apresentação prosseguiu. Ao final dela, guardando o equipamento no carro e percebendo a besteira que tinha feito, Fê foi procurá-lo para pedir desculpas — mas ele já tinha ido embora. O baterista não desistiu e foi até a SQS 303 pedir desculpas. "Eu estava transtornado com o que tinha feito", diria. Renato foi duro: ia sair do grupo, por ele estava tudo terminado. Foi um choque para Fê. Mas o outro acabou reconsiderando — ou adiando — seu propósito e ficou na banda até o fim de 1981.

Logo depois, no entanto, o Aborto Elétrico acabaria uma segunda vez, quando Fê rejeitou a letra de "Química", que Renato havia composto sozinho ao violão. O baterista não conseguia se identificar com aquele papo de "só gosto de educação sexual", e o guitarrista se ofendeu e pediu as contas, deixando o Aborto novamente como um trio. Renato ainda voltaria a se apresentar emergencialmente com o grupo uma última vez, no Centro Olímpico da Universidade de Brasília, substituindo o desaparecido Ico Ouro Preto, presa de um medo de palco lendário — tanto que acabou tornando-se fotógrafo.

Quem um dia irá dizer

Que existe razão
nas coisas feitas
pelo coração?

E quem irá dizer

Que não
existe razão?

Fora do Aborto, durante algum tempo Renato Manfredini Jr. incorporou a *persona* do Trovador Solitário. Ele usava um banquinho e um violão, não para fazer bossa nova, e sim para dar vazão à sua porção Bob Dylan, soltando um vozeirão que deixaria João Gilberto com dor de cabeça. Ele transcreveu para o instrumento as músicas do Aborto Elétrico, juntou com "Química" e com novas composições, como "Eduardo e Mônica" e "18 e 21" (futura "Eu sei"), e passou a abrir os shows de outras bandas surgidas em torno da Colina. Embora as platéias fossem compostas por punks elétricos, Renato era respeitado. Afinal, estivera à cabeça da primeira banda punk de Brasília, matriz direta ou indireta das outras. Como Trovador Solitário, sem o estresse gerado pela vida em grupo, ele pôde afiar sua pena. Não que as letras do Aborto Elétrico fossem ruins, não mesmo. Mas o período de recolhimento acústico levava inevitavelmente a um salto de qualidade.

Não dava mais para se esconder atrás do amplificador Vovox: sem a maçaroca elétrica, as pessoas agora iam realmente ouvir as letras. As músicas da nova leva necessitavam, portanto, de uma certa elaboração para se tornarem atraentes. "Eduardo e Mônica" era puro Dylan, uma historinha para prender a atenção, mas também era puro Renato, uma historinha com a qual muita gente podia se identificar. Tinha 73 versos — menos da metade de "Faroeste caboclo", já escrita desde 1979, que também entrava no repertório — e catava referências nas estantes do seu quarto: no filósofo Blaise Pascal ("Quem um dia irá dizer/ Que existe razão/ Nas coisas feitas pelo coração?/ E quem irá dizer/ Que não existe razão?"), no cineasta Jean-Luc Godard, no horóscopo, nos poetas Manuel Bandeira e Jean-Arthur Rimbaud, no rock gótico do Bauhaus, nos Mutantes, em Caetano. A história de amor entre o "boyzinho que tentava impressionar" e a "menina [que] tinha tinta no cabelo" apaixonaria o Brasil quatro anos depois. Era linguagem simples, cotidiana, sem metáforas, de fácil empatia com os jovens — mas retrabalhada como arte. "18 e 21" era diferente. Parecia mais com a "Fátima" e os hinos que Renato comporia nos anos por vir. Versos como "Sexo verbal não faz meu estilo/ Palavras são erros e os erros são seus/ Não quero lembrar que eu erro também" eram cantados com contrição religiosa, arrematada por "Somos pássaro novo longe do ninho/ Eu sei".

Por mais punk que fosse a platéia, ela ficava impressionada com aquele rasgo folk. Dado Villa-Lobos, por exemplo, nunca tinha visto nada parecido na vida. "Eu odiava blues e odiava tudo o que tivesse a ver com guitarristas virtuoses", lembraria. "Eu tinha necessidade daquela coisa elétrica, catártica, era ideológico. Não tinha mais discoteca, não tinha mais música americana nos anos 60 e 70, aquilo não existia mais." Mesmo assim, sem ter conhecimento de Bob Dylan, ele se rendeu: "Percebi a força do Trovador Solitário". Abrindo para bandas mais ou menos pesadas, como a Plebe Rude e o Capital Inicial, Renato durante alguns meses deu aos ouvintes alguns momentos mágicos, ao cantar "Faroeste caboclo", "Eduardo e Mônica", "Mariane", "Dado viciado", que, diferentemente do que muita gente pensou durante muito tempo, nada tinha a ver com Eduardo Dutra Villa-Lobos. Com sua banda da época, Dado & O Reino Animal, o guitarrista fazia um som instrumental, caótico, vagamente neopsicodélico, que se destacava dos outros pelo uso de teclados. Se todas as bandas de Brasília tinham um paralelo no rock inglês, a de Dado era o Damned. Houve apenas uma apresentação, mas seus cassetes faziam sucesso nas festinhas da Turma. Os ensaios na mansão dos Thompson Flores, no Lago Sul, turbinados por baseados fumados num narguilé com cheirinho-da-loló, eram bem mais divertidos.

Num dia de 1982, Renato encheu o saco do exílio auto-imposto como Trovador Solitário e chamou Marcelo Bonfá, então também brigado com os Metralhaz, para implementarem juntos um projeto tipo The The (isto é, a pessoa jurídica do guitarrista inglês Matt Johnson): com um no baixo e outro na bateria, eles convidariam músicos, sobretudo guitarristas, agora que Brasília estava cheia deles, para experiências diversas. Não deu muito certo. Mas ficou o nome-conceito: Legião Urbana. E logo Renato e Marcelo chamaram Eduardo Paraná para ser o guitarrista fixo da banda. Ele, no entanto, tinha um problema, ao menos do ponto de vista de dois punks que amavam os Buzzcoks e os Comsat Angels: tocava bem demais. Naturalmente, fazia questão de exibir seus dotes, solando sem parar. "E nós éramos contra", lembraria Renato. Ainda assim, a sua idéia era fazer uma música um pouco mais elaborada que a do Aborto Elétrico. E aí Paraná tinha lugar. Nesse sentido, o trio logo agregou um tecladista, Paulo Paulista Guimarães, piloto de Casiotone. Foi com essa formação que a Legião Urbana fez o primeiro show de sua existência, a 5 de setembro de 1982, a mais de 400 quilômetros de distância de Brasília, em Patos de Minas, no Parque de Exposições da cidade, no festival Rock no Parque. Os cartazes espalhados pela cidade mineira ainda anunciavam a presença do Aborto Elétrico.

Na noite anterior, os membros de Legião Urbana e Plebe Rude — Philippe Seabra, André Mueller, Gutje Woorthmann e Jander *Ameba* Ribeiro — se encontraram na Rodoviária de Brasília. A Legião tinha alguns meses de vida. A Plebe, um ano e dois meses. Junto ia o fotógrafo Lula Acioly. Havia uma passagem extra. Foi sorteada entre Luiz Antônio Alves (o Lui, cujo passo estrelaria a capa do segundo LP dos Paralamas do Sucesso, de 1984) e Pedro Hienna (assim como Lui, futuro membro do Arte no Escuro). Ganhou este último. O bando chegou à cidade mineira muito cedo, às 6h, sendo recepcionado com café e leite por Carlos Alberto Xaolin, dono da produtora Cadoro. Parecia um filme de faroeste e não somente porque o festival seria realizado num parque agropecuário, numa arena de rodeio que os caminhões-pipa tinham de molhar de hora em hora, para evitar que a poeira levantasse. De cima de suas botas de cano longo, um policial local ficou de olho naqueles forasteiros, uns rapazes estranhos que vestiam calças rasgadas e não tinham nada para fazer nas próximas 12 horas, exceto queimar fumo atrás do palco. Mais tarde, na passagem de som dos punks, o sistema começou a tocar Focus. Mau sinal. Mesmo para um (ex?) fã do grupo progressivo holandês, como Renato.

Na hora do show, os dois quartetos brasilienses foram prestigiados pelos cabeludos locais — e por um vasto efetivo da polícia também. Expostas num sistema de som profissional, suas letras chamavam a atenção, coisa que não acontecia em sua cidade natal. A Legião tinha "Que país é este", herança do Aborto que enumerava sarcasticamente: "No Amazonas, no Araguaia, na Baixada Fluminense/ Mato Grosso, nas Geraes e no Nordeste tudo em paz". A Plebe tinha "Vote em branco". Não pegava muito bem cantar "Imagine uma eleição onde ninguém fosse eleito/ Já estou vendo a cara do futuro prefeito/ Vamos lá, cara, seja franco/ Use o poder de seu voto/ Vote em branco" numa festa patrocinada pela Prefeitura de Patos de Minas. Terminadas as apresentações, quase toda a trupe foi detida para averiguações. Marcelo, vendo que tinha pintado sujeira, ficou prudentemente de longe. A polícia queria saber quem eram, de onde vinham, para onde iam, desde que fossem rápido. Houve alguma tensão, mas nenhuma agressão. Para alívio de Philippe, menor de idade com passaporte americano, que temeu levar uma botinada de cano longo no estômago. Todos foram liberados, e a Legião voltou para casa após seu batismo de fogo.

O virtuosismo de Paraná e Paulista acabou empurrando os dois para fora do grupo. Paraná iria estudar violão clássico em São Paulo e, mais tarde, fazer música instrumental sob o nome Kadu Lambach. Renato e Marcelo optaram por chamar apenas um guitarrista para formar com eles. O roqueiro Ico Ouro Preto foi o escolhido. Também não durou muito. Porque o *stage fright* dele era coerente: havia deixado o Aborto Elétrico na mão no começo de 1982 e iria deixar a Legião Urbana na mão no começo de 1983. Em março, a apenas um mês das apresentações mais importantes da vida não só da banda, como do próprio rock da capital federal, ele decidiu roer a corda. O pessoal que se conhecera na Colina da UnB conseguira organizar um mês de festival no auditório da Associação Brasiliense de Odontologia, no final da Asa Sul. De quinta a domingo, todos os fins de semana de abril, tocariam Legião, Plebe Rude e XXX (que dividiam o aluguel da sala 2090 no Brasília Radio Center, forrada por embalagens de ovos à guisa de "isolamento acústico" para os ensaios), além do Capital Inicial (ainda sem Dinho nos vocais, divididos por Loro Jones e por uma menina que também tocava guitarra, Heloísa, filha de militar cujo sobrenome se perdeu na história). Era uma mudança de patamar. Pela primeira vez o som das bandas seria profissional, um PA armado por Toninho Maia, guitarrista do Artimanha, banda mais velha, mais ligada em MPB e jazz. Pela primeira vez seriam cobrados ingressos.

O jornalista Renato Manfredini Jr. escreveu o *press release* do festival na ABO. Parecia mais um manifesto do que propriamente uma tentativa de informar a imprensa sobre o que iria acontecer. "Um movimento original e anárquico que pretende acabar com os falsos modismos. É a moda levada ao extremo: antimoda, antiestética, antitudo. Mas aqui é bem mais fácil controlar a juventude oferecendo a válvula de escape ideal e não uma música que faça todos pensarem e questionarem as hipocrisias construtivas de uma sociedade falsa, à beira da autodestruição atômica. Ha-ha. Música discoteca não fala desse feito. E a música popular brasileira parece estar mais preocupada com cama e mesa e a sensação das cordilheiras. E o pessoal que faz letras espertas não gosta de tocar rock no Brasil. O que fazer? Será que estão todos satisfeitos? Rock é uma atitude, não é moda. É música da África. Não é música americana. Tem no mundo inteiro." Deu para entender?

Sem Ico, Renato e Marcelo convidaram Dado Villa-Lobos. O guitarrista acabara de entrar para o curso de ciências sociais da UnB. Seu plano era estudar o básico em Brasília e depois se transferir para se formar em sociologia em Aix-en-Provence, perto de Marselha, França, onde seu pai era cônsul. Mudou de idéia radicalmente. Pois as perspectivas para as bandas de rock estavam mudando. Era um momento de grande excitação para a rapaziada de Brasília também porque mais ou menos ao mesmo tempo os Paralamas do Sucesso haviam assinado contrato com a EMI-Odeon e lançado seu primeiro compacto. De um lado estava "Vital e sua moto". Do outro, "Patrulha noturna". Todos sentiam-se orgulhosos e estimulados. Apesar de formados no Rio de Janeiro, os PdS tinham na formação dois velhos amigos da Turma da Colina: Herbert Vianna na guitarra e Bi Ribeiro no baixo. Completaram o trio na bateria primeiro Vital Dias e depois João Barone. Com sua sólida cultura roqueira, Renato sabia que aquele disquinho (que passava horas virando e revirando na vitrola) representava uma chance concreta de transcender o amadorismo. Dado, por sua vez, jamais pensara em se tornar um profissional, em viver de música, mas aceitou o convite. "Na época, ele tocava maaal...", lembraria Renato. "Mas nossas músicas eram fáceis e em três dias ele aprendeu nove."

Durante um mês, ele, Renato e Marcelo foram trabalhando um repertório que pudesse preencher o tempo previsto para cada apresentação, algo entre 30 e 40 minutos. Muitas músicas ainda estavam apenas no baixo e na bateria, como "Soldados". Os três entendiam-se muito bem. Fechavam-se na sala do Brasília Radio Center e começavam a *jam*. Normalmente a partir de uma batida de bateria. Às vezes de uma linha de baixo ou de um *riff* de guitarra. Iam em frente até trombar com alguma coisa que, devidamente burilada, ganhava uma letra, possivelmente esboçada nos cadernos de Renato. Era um processo de composição tranqüilo, instintivo, mas que não raro resultava em compassos inteiramente malucos. Súbito a música mudava de andamento antes de voltar para o tempo original. E, no entanto, se movia. A palavra é batida mas ainda vale: havia uma química poderosa ali. Talvez porque fossem pessoas de temperamentos musicais inteiramente distintos: Renato tinha a intuição, bolava coisas impossíveis na teoria que davam certo na prática; Marcelo era meio místico, achava que era tudo questão de captar melodias e climas; e Dado trazia com ele a razão, volta e meia repetindo que "música é matemática".

O guitarrista ainda chegou a tempo de co-assinar, por exemplo, "Ainda é cedo" com os dois — e com seu antecessor, Ico. O repertório daquele que viria a ser o então pouco mais que sonhado primeiro LP, a ser gravado um ano e meio depois, estava quase todo lá naqueles ensaios. "Teorema", "Petróleo do futuro", "Baader-Meinhof Blues", sem falar na herança do Aborto Elétrico, como "Conexão amazônica". Eram rocks doutrinariamente singelos, movidos pela energia punk mas com vôos mais altos nas letras. Afinal, "Ainda é cedo" era uma canção de amor, ou melhor, um flagrante doloroso do amor se transformando em desamor. Quer coisa mais triste do que "Falamos o que não devia/ Nunca ser dito por ninguém/ Ela me disse: eu não sei mais o que eu sinto por você/ Vamos dar um tempo, um dia a gente se vê"? "Teorema" escondia uma *private joke* sobre sexo oral em seus versos introdutórios: "Não vá embora/ Fique um pouco mais/ Ninguém sabe fazer/ O que você me faz". E tanto ela quanto "Petróleo do futuro" mostravam uns garotos que faziam perguntas ("Ah, se eu soubesse lhe dizer/

O que fazer para todo mundo ficar junto/ Todo mundo já estava há muito tempo") ao mesmo tempo que já arriscavam algumas respostas ("Não tenha medo/ Não preste atenção/ Não dê conselhos/ Não peça permissão/ É só você quem deve decidir o que fazer/ Para tentar ser feliz").

Com músicas assim, a Legião acabou se sobressaindo na ABO. Porque, amizades à parte, movimento punk à parte, anarquia à parte, havia uma competição feroz em andamento naquele festival, entre a banda mais nova e suas co-irmãs mais velhas, a Plebe Rude e o Capital Inicial. "Nós éramos muito amigos e sempre estávamos juntos", avaliaria Fê. "Dividíamos o palco e os equipamentos. Mas também ninguém era bobo. Cada banda tinha seu ponto forte." Os músicos do Capital eram melhores tecnicamente. Os da Plebe sempre pareciam estar se divertindo mais que os outros. E a Legião... "Tinha o melhor cantor e letrista", opinaria o baterista, ainda às turras com Renato na ocasião do festival. Quando, não muito tempo antes, soubera do nome adotado por seus ex-companheiros de Aborto Elétrico, Capital Inicial, ele dera uma risada. Legião Urbana era mais elegante. No páreo da ABO, os competitivos Renato, Fê e Philippe dariam o melhor de si. Ganhou a banda reformada apenas um mês antes. "E o nome desse azarão era Renato Russo, não se pode negar isso", diria Dado, muitos anos depois. "Ele e aqueles dois caras que estavam ali do lado, ajudando a segurar a coisa." *Urbana Legio omnia vincit*, esse era o lema da banda. "A Legião Urbana a tudo vence", em latim. Próxima batalha, Rio de Janeiro. Com escalas.

FLAVIO COLKER

ELES NÃO TÊM RESPOSTAS

Em um dia de 1984 veio a notícia. Renato estava no hospital. Havia cortado os pulsos. A primeira reação de Dado foi de desespero: "Meu Deus, o Renato cortou os pulsos!". Logo, porém, ele e Marcelo se certificaram de que os ferimentos não eram sérios o bastante para levá-lo à morte. O próprio Renato fazia questão de chamar o gesto de "acidente". "Eu cortei os pulsos não para me matar nem nada, foi de frescura, de babaquice, eu tava bêbado", contava. Fora uma besteira para chamar a atenção de algum rapaz. Pois Renato era um carente, capaz de se apaixonar com facilidade. E de se frustrar com a mesma facilidade. Sua homossexualidade não era mais segredo para a família havia algum tempo. Aos 18 anos, ele havia saído do armário diante da mãe. Dissera que não ia se casar com a fotógrafa Ana Paula Camarinha, desde sempre uma grande amiga, pelo simples fato de que era homossexual. Dona Maria do Carmo havia ficado triste. "Não era aquilo que eu tinha escolhido para ele, mas já que ele escolheu...", lembraria. Mais de dez anos depois, em 1989, quando o filho decidiu assumir publicamente sua opção sexual, aí sim ela tremeu nas bases. Tinha medo, naturalmente, da reação da mídia e de suas próprias amigas. "Filho, você não tem que dar satisfação de sua vida para ninguém, você tem que viver a sua vida..." Renato acalmou-a: "Mãe, é justamente para acabar com esse preconceito que nós temos que falar". Quando ele assumiu, dona Maria do Carmo sentiu-se aliviada e orgulhosa: "Meu filho teve a hombridade de assumir!".

Renato tinha crises de depressão, às vezes associadas a uma revolta por assim dizer metafísica. Um dia seu pai foi surpreendido pelo barulho vindo do seu quarto. Lá chegando viu-o jogando pilhas e pilhas de livros no chão, com raiva. "O que houve, filho?", tentou entender. "Não adianta isso tudo aí, pai, eles não têm respostas para as minhas perguntas", reclamou. Por isso, não raro tentava preencher esse vazio com álcool: bebia além da conta. E dava trabalho à família e aos amigos. Depois do festival na ABO, a Legião Urbana começou a fazer muitas apresentações em Brasília. No dia de um show em Lagoa Formosa, Renato desapareceu. Marcelo e Dado não sabiam o que fazer. Em cima da hora, veio dona Maria do Carmo amparando o filho, que, mesmo completamente bêbado, não faltou ao compromisso. "Cuida do meu filho para mim, por favor", pediu ao guitarrista. Assim foi feito o show. Nesse contexto, o corte nos pulsos foi o lance mais dramático. Por conta das cicatrizes, Renato passou a usar camisas de manga comprida quase o tempo todo. Isso aumentou a nascente mitologia em torno dele. Alguns fãs sabiam do incidente, outros diziam que ele queria era esconder as marcas de picadas de agulha nos braços. Não era verdade, ao menos não naquele momento. Só bem mais tarde, numa fase refletida no disco *V* (1991), Renato consumiria uma droga injetável, heroína. "Eu estava na minha fase Kurt Cobain", diria ele em 18 de julho de 1994, pouco mais de três meses depois de o guitarrista do Nirvana ter dado um tiro na cabeça, na sua casa em Seattle.

Dez anos antes, a sua inatividade criava um problema prático, a ser resolvido urgentemente. Ele havia perdido alguns movimentos das mãos, ficando impedido de tocar baixo durante algum tempo. Simultaneamente, Renato estava mesmo pensando em ter mais liberdade para cantar e para cuidar dos interesses da banda. A Legião Urbana tornava-se um quarteto quase sem querer. Marcelo então convidou o baixista Renato Rocha, também conhecido como *Billy* e *Negrete*, membro da facção *hardcore* da Turma da Colina. "A gente odiava cabeludo", lembraria Negrete, sempre um "careca". "Aqueles caras copiando rock'n'roll... Aqueles virtuoses tipo Pink Floyd, Yes, todos vindos do conservatório... Tinha que ser cabeludo, chato e prepotente!" Se Renato, Marcelo e Dado eram brancos, filhos de funcionários do Banco do Brasil e de diplomata, o novo Renato da banda era negro, de classe média baixa. Nascera a 27 de maio de 1961, em São Cristóvão, zona suburbana do Rio de Janeiro, filho de um sargento do Exército e de uma evangelizadora em favelas. Seus pais eram protestantes. E, embora ele tocasse acordeão desde os 5 anos de idade, estava proibido de ouvir rádio em casa. Música, só os clássicos, Bach, Tchaikovsky. Televisão, nem pensar. Uma vez em Brasília, onde sua família chegou no primeiro dia de 1970, Renato freqüentou a AABB, assim como o outro Renato e Marcelo, só que não nas raias de natação e sim nas quadras de vôlei, quatro anos de saques, manchetes e cortadas. Era forte e, como Marcelo e Dado, bonito.

Quando Negrete entrou, a banda já começara a se apresentar fora de Brasília, e bem além de Patos de Minas. O trio tocou, por exemplo, na boate Napalm, em São Paulo, e no Circo Voador, no Rio de Janeiro. Na Lapa, o show foi na noite de 23 de julho de 1983, numa rodada tripla: Legião Urbana e Capital Inicial (já com Dinho Ouro Preto nos vocais, no lugar da tal Heloísa, arrastada para fora da vida artística pelo pai) abriam para Lobão, no meio do caminho entre os discos *Cena de cinema* e *Ronaldo foi pra guerra*. Quatro meses antes, sob a mesma lona, os Paralamas do Sucesso haviam comparecido, como "simpatizantes", à Primeira Noite Punk do Rio de Janeiro, minifestival com Inocentes, Lixomania, Cólera e Descarga Suburbana. No seu repertório estava "Veraneio vascaína", que Herbert Vianna anunciou, ao microfone, como sendo "de dois punks de Brasília". Seus nomes eram, claro, Renato (agora já) Russo e Flávio Lemos. Antes do final de 1983, seu primeiro LP pela EMI-Odeon, *Cinema mudo*, estava nas lojas, trazendo, além da "Química" velha de guerra, "O que eu não disse", parceria de Renato com os *paralamas* Herbert e João Barone. Ao mesmo tempo, uma fita demo da Legião Urbana, com "Geração Coca-Cola" e "Ainda é cedo", começava a tocar na rádio Fluminense FM, de Niterói, mãe da renascença do rock brasileiro nos anos 80. Com tanta badalação, era questão de tempo alguma gravadora se interessar pelo trabalho daqueles três punks de Brasília.

Quando o interesse surgiu, porém, surgiu pelo trabalho errado. A fita demo que caiu nas mãos de Jorge Davidson, diretor artístico da EMI-Odeon, trazia gravações de Renato Manfredini Jr. fase Trovador Solitário, músicas como "Eduardo e Mônica" e "Faroeste caboclo". Renato havia dado essa fita acústica para Pedro Ribeiro, irmão de Bi. Davidson sonhou, assim, contratar o Bob Dylan ou, ao menos, o Bob Seger do Planalto. Até porque resistia em ter seu *cast* mais um-trio-de-Brasília-cujo-cantor-usa-óculos. A banda demorou até descobrir isso. Primeiro voltou ao Rio, no final de 1983, para gravar uma nova fita demo, produzida pelo guitarrista Marcelo Sussekind, do grupo Herva Doce, mesmo produtor dos dois primeiros LPs dos Paralamas, que os estavam apadrinhando na gravadora. Nada foi dito, e a Legião Urbana voltou para Brasília. Depois, no começo de 1984, foi convocada novamente, para gravar um compacto. O produtor agora era Rick Ferreira, outro guitarrista, da banda de Raul Seixas. Sussekind recusara-se a gravar "Geração Coca-Cola" segundo a orientação de Davidson: como se fosse um country rock. Não fazia sentido e ele havia ido embora. Rick tinha mais a ver com Bob Seger. No entanto, quando Renato, Dado e Marcelo perceberam o que a gravadora esperava deles, agiram como bons punks: apesar de já terem um contrato padrão assinado, viraram as costas e foram embora. No caminho da saída do prédio da rua Mena Barreto, em Botafogo, eles trombaram com outro produtor da casa, Mayrton Bahia. "Foi a tábua de salvação", diria Dado. Os quatro voltaram para o estúdio e conversaram a noite inteira. Bahia percebeu o momento, pôs panos quentes, explicou como a banda tocava na EMI-Odeon. Acalmou os rapazes. Na manhã seguinte, os três insones caminharam pelo calçadão de Copacabana pensando no que haviam ouvido. Deram um tempo no hotel e mais uma vez voltaram para Brasília, mas no íntimo repetiam "*we'll be back*" — para gravar direto um LP.

"Foi superlegal porque realmente não tem como a gravadora forçar você a fazer alguma coisa", comemoraria Renato. "O artista faz de bobeira." No hotel, o Bandeirantes, na rua Barata Ribeiro, estada paga pela EMI, os três ficaram de papo para o ar, fugindo para a casa de Bi Ribeiro quando enjoavam de comer queijo quente com *petit-pois*. Lá, os quatro ouviram até gastar o LP que o Police havia lançado na metade do ano anterior, *Synchronicity*. Por isso, "Tea in the Sahara" ficaria para sempre marcada, na memória de Renato, com as imagens da praia de Copacabana, *legionários* esparramados na areia. O mesmo hotel de Copacabana presenciaria um encontro histórico: Renato Russo e Raul Seixas no mesmo quarto, um de frente para o outro. "Eles falavam num dialeto que não era português, nem inglês, nem nada", lembraria o místico Marcelo. "Dava para você ver os raios no quarto." Raul os havia encontrado e perguntado: "Vocês têm aquele disco marrom, lá?". Era a senha para maconha. Tinham. Raul chegou no quarto cheio de vidros de éter. Enquanto Marcelo esvaziava um no banheiro, ele sacava outro do casaco.

Depois de dois meses em Brasília, chegou a notícia de que a única pessoa que poderia produzir o disco era o jornalista José Emilio Rondeau, que escrevia sobre música desde 1977, com passagens pelo *Jornal da Música*, *Jornal do Brasil* e *O Globo*, entre outros órgãos de imprensa, especializada ou não. Renato ficou feliz. Gostava muito dele e de sua mulher, Ana Maria Bahiana. Inclusive já fizera chegar às mãos deles por um amigo comum — o fanzineiro Tom Leão — uma fita com as músicas da Legião Urbana. Pois foi justamente essa fita que maravilhou Rondeau. "O que me chapou de vez foi 'Será'", contaria. Chamaram-lhe a atenção não só os versos mais que adequados aos estertores do regime militar ("Será que vamos conseguir vencer?"), mas também o modo como Renato "parecia um cavaleiro romântico atravessando tempestades e vendavais para chegar ao amor, e pela maneira como a banda parecia determinada a cruzar as mesmas intempéries a qualquer custo". Num contexto de grupos niilistas ou engraçadinhos, Rondeau viu a luz naquele vozeirão e naquele som sujo, visceral, urbano. Sabendo que a EMI-Odeon os havia contratado, não pensou duas vezes. Marcou um encontro com Jorge Davidson e ofereceu seus préstimos como produtor. Até então o jornalista co-produzira apenas o segundo LP da banda punk baiana Camisa de Vênus. Davidson topou. E assim a Legião Urbana afinal ganhou um produtor. "Fui mais um espectador", lembraria Rondeau.

FLAVIO COLKER

A Legião Urbana que o jornalista conheceu ao chegar aos estúdios da EMI para gravar seu primeiro LP não era mais um trio, e sim o quarteto com Renato Rocha. Todos eram verdes. Gravar um disco com o nome previsto de *Revoluções por minuto* — que acabaria sendo o nome do disco de estréia do RPM, lançado em junho de 1985 — foi um processo de descoberta para todos ali. Apesar de trazer de casa o repertório, de certa forma os dois Renatos, Dado e Marcelo estavam se apresentando ao mundo ali. E, na medida do possível, mantinham o espírito punk do faça-você-mesmo mesmo no ventre da gravadora. Ela não queria, por exemplo, que se gravasse a soturna "Soldados", uma marcha à moda do U2. Por intermédio de Rondeau triunfou a vontade do grupo, que, assim, registrou aquele que, segundo Renato, foi sua "primeira música com uma sensibilidade mais gay". A qualquer um que se espantasse com essa interpretação, o seu letrista e co-compositor (com Marcelo) pacientemente explicava o espírito da coisa: "Ah, mas é claro! São dois meninos que descobrem que se gostam. 'Nossas meninas estão longe daqui/ E de repente eu vi você cair/ Não sei armar o que eu senti/ Não sei dizer que vi você ali'...".

Vendo os rapazes trabalharem, Rondeau, que já se enamorara da voz de Renato por causa de uma mera fita amadora, caiu de joelhos. "Só um cego ou surdo não constataria de primeira que Renato era John Lennon, Bob Dylan, Elvis Presley, Paul McCartney, Bruce Springsteen, Brian Wilson e Joe Strummer, tudo junto, num país tão carente de equivalentes nacionais", definiria. Ver Renato gravar as duas vozes de "Geração Coca-Cola", por exemplo, se aproximou de uma experiência mística para o jornalista. A música estava empacada. Ninguém sabia muito bem qual seria sua forma final. Era aquela, inclusive, que Jorge Davidson pensara em transformar numa canção de Bob Seger, acrescentando violões, possivelmente por temer o seu impacto no gosto médio de 1984. Dado odiava tocar violão, achava que não saía som daquela coisa. Então, eles regravaram a música no Estúdio 2 da Mena Barreto — menor que o número 1, mas com uma mesa de som igual àquela que os Beatles haviam usado nos estúdios de Abbey Road — "ao vivo", 1, 2, 3, 4, cada um tocando sua parte. Dado na guitarra. Depois, emparedado, Renato acrescentou o violão. Por fim, pôs as vozes, dançando como se estivesse num show, com tesão, empolgação, sentimento, registrando a versão mais perfeita até então, a versão definitiva. Rondeau olhou boquiaberto para Fernanda Villa-Lobos, mulher de Dado e empresária da Legião naquela época. "Ele é foda", foi a resposta sucinta dela.

E assim foram sendo registradas as músicas de *Legião Urbana*, o LP de estréia. A banda, hospedada no mesmo Bandeirantes da Barata Ribeiro, andava um quarteirão e meio para pegar um ônibus na Figueiredo Magalhães, atravessava o Túnel Velho, saltava em frente ao cemitério São João Batista e ia a pé para a EMI-Odeon, na Mena Barreto. No caminho, ainda que fossem 9h, Renato parava num boteco e enchia o tanque com cachaça ou Drink Dreher para encarar as gravações. Mas canções como "Será", "Petróleo do futuro" e "Perdidos no espaço" estavam prontas ou quase prontas. De tal forma que a principal preocupação de Rondeau era registrá-las com o máximo de fidelidade. Ou seja: com o mínimo de *overdubs* (superposição de gravações) possível.

Uma de suas contribuições foi sugerir a inclusão do *glockenspiel* (espécie de carrilhão, xilofone com chapas de metal que produzem o som de sininhos) na épica "Será". Sua idéia era dar um toque "Born to Run", de Bruce Springsteen, a versos como "Tire suas mãos de mim/ Eu não pertenço a você/ Não é me dominando assim/ Que você vai me entender". Renato nunca tinha tocado *glockenspiel*, mas como tinha noções de piano deu conta do recado. Rondeau também bolou a introdução, ao teclado, da última faixa, "Por enquanto", única música composta durante as gravações, primeira a apontar para o futuro trabalho. Seus versos finais pareciam refletir a situação da banda: "Mesmo com tantos motivos pra deixar tudo como está/ E nem desistir, nem tentar/ Agora tanto faz/ Estamos indo de volta/ Pra casa". O novato Negrete ganhou o crédito pelo arranjo suingado de "A dança", de Renato, Dado e Marcelo, crítica feroz ao sexismo dos *boyzinhos* que vivem "tratando as meninas/ Como se fossem lixo/ Ou então espécie rara".

Embora houvesse uma bela canção de amor em *Legião Urbana*, "Ainda é cedo", o disco era majoritariamente político, no sentido amplo. "Aquele disco dava um panorama de tudo o que estava acontecendo com o jovem daquela época e, por tabelinha, com o jovem de hoje em dia", avaliaria Renato. "É um clássico, um livro completo." Suas músicas falavam de como crescer sem perder a inocência ("Será"); do descaso das autoridades com a juventude do país ("Petróleo do futuro"); da falência do sistema educacional ("O reggae"); da violência na televisão ("Baader-Meinhof Blues"); da confusão das drogas ("Perdidos no espaço"). Estava tudo amarrado na cabeça de Renato, inclusive o final reflexivo com "Por enquanto", embora no começo ele tenha pensado em fechar o LP com "Teorema". "O disco tem aquilo que todo grande disco de rock tem. Por que *Revolver* termina com 'Tomorrow Never Knows'?", comparava, sempre às voltas com referências.

Claro que nem tudo era paz e amor do lado de dentro do estúdio. Um dia, ninguém mais se lembra exatamente por que, estourou uma discussão entre Rondeau e Marcelo, dois pavios curtos. O baterista bateu o pé: "Não pode ser assim". O produtor insistiu, mas o outro ficou irredutível: "Não pode ser assim". Foi a vez de Rondeau roer a corda: "Júnior, eu vou embora". Foi. Renato lançou um olhar intenso na direção de Marcelo, um olhar que dizia "se esse cara for embora, se o terceiro produtor que arrumaram para a gente for embora, estaremos fodidos e a culpa será sua". E saiu no encalço de Rondeau. Chovia. Se ninguém se lembra do motivo da briga, todos se lembram da cena patética. Renato pegando chuva agarrado à janela do Fiat 147 cor de grafite de Rondeau, implorando para ele voltar e retomar os trabalhos. "Não, Juninho, não tem volta." Mas os apelos do cantor foram afinal atendidos. "Renato sempre conseguia que as pessoas voltassem", lembraria Dado. Noutra ocasião foi o próprio Renato quem o irritou. O guitarrista flagrou uma das anotações em inglês no famoso diário: "I hate those guitars" (Eu odeio essas guitarras). Dado ficou meio magoado: "Por que o cara não vem falar isso comigo? Pô, é a primeira vez em estúdio, é difícil à beça timbrar o instrumento...". Mas o disco ficou pronto, e ficou pronto rápido.

Apesar de toda sua tenacidade, nem mesmo Renato podia ter certeza se a Legião Urbana ia conseguir vencer ou não. Certa tarde cinza e úmida, ele voltou da EMI para o Bandeirantes de carona com Rondeau e Ana Maria

Bahiana. Quando a jornalista levantou para que o cantor pudesse descer — o Fiat tinha duas portas — na Barata Ribeiro, pela primeira e última vez naquela que seria uma longa amizade os dois falaram de trabalho. Ele a abraçou forte e perguntou, olhar carente: "Amiga, será que isso tudo vai dar certo?". Ana Maria não titubeou: "Segura a onda, meu amigo, vocês vão ser muito maiores do que a gente pode imaginar agora". E Renato Russo enfrentou a chuva com sua japona.

FLAVIO COLKER

NOSSA VERDADEIRA VOCAÇÃO

Denise Bandeira estava sentada no saguão do segundo andar do Centro de Convenções do Hotel Nacional, em São Conrado, esperando começar uma sessão do III Festival Internacional de Cinema, TV e Vídeo do Rio de Janeiro, popularmente Riocine. Queria assistir a um vídeo sobre o grupo de dança canadense La La La Human Steps. Um rapaz se aproximou dela, disse que tinha visto todos os seus filmes, cobriu-a de elogios e se apresentou: "Sou o Renato Russo, aquele para quem você escreveu o clipe de 'Acrilic on Canvas'". Ele também estava lá para ver a mesma fita. Ficaram amigos de infância — como acontecia freqüentemente em se tratando de Renato — entre uma coreografia e outra. Passariam duas semanas brincando de namorados a partir daquele encontro. "Mas logo vimos que nossa verdadeira vocação era a amizade: amigos, grandes amigos, quase irmãos, é o que fomos até o fim", definiria Denise. Naquele 1986, ela escrevia roteiros de videoclipes para o *Fantástico*, revista de variedades dominicais da Rede Globo. Eram quatro por mês, um trabalhão. Tendo que escolher para roteirizar uma música do LP *Dois* da Legião Urbana, ela escolhera "Acrilic on Canvas", pela "visualidade perturbadora" de sua letra: "E fiz então/ Pincéis dos seus cabelos./ Fiz carvão do batom que roubei de você/ E com ele marquei dois pontos de fuga/ E rabisquei meu horizonte". Denise nem mesmo pudera ouvir a música. Havia feito sua escolha a partir do encarte, pois o disco sequer estava pronto. Da Legião, ouvira apenas uma ou duas músicas do primeiro LP no rádio, sem nem prestar atenção. Mas ficou feliz quando soube, antes do encontro no cinema, que o tal Renato adorara o seu roteiro. No encarte já vislumbrara um poeta muito interessante.

Renato também achava a atriz e roteirista muito interessante — e bonita. Denise Pinho França de Almeida estudara ciências sociais (com bacharelado em sociologia) na UnB, em Brasília, onde morara por 14 anos, mas voltara de lá para o seu Rio de Janeiro natal no mesmo ano em que a família Manfredini se mudou para o Planalto Central: 1973. Talvez tenham se cruzado no aeroporto, literalmente: Denise trabalhou na sua administração durante um tempo. Quando foi para o Rio, começou fazendo divulgação de espetáculos teatrais. Estava tentando emplacar reportagens sobre *O casamento do pequeno burguês*, peça de Bertolt Brecht dirigida por Luís Antônio Martinez Corrêa, quando teve que substituir uma das atrizes que integrava as coristas do inferno. Fez tudo errado mas acertou sua vocação. Depois, já com o sobrenome artístico Bandeira, atuou — com Lucélia Santos, Jorge Fernando e Fábio Júnior — no tocante seriado geracional *Ciranda cirandinha*, da Globo, quase emendado com *Plantão de polícia*, no qual interpretava a repórter Bebel e contracenava com Hugo Carvana, com quem trabalhara no longa *Se segura, malandro* (1977). No cinema, atuara ainda em *Inquietações de uma mulher casada*, de Alberto Salvá, e *À flor da pele*, de Ramalho Júnior, entre outros. Cinéfilo, Renato vira todos.

No sentido inverso, não havia espanto algum em Denise mal ter ouvido a Legião Urbana quando escreveu o roteiro de "Acrilic on Canvas". Embora ele fizesse parte do segundo disco da banda, o primeiro mal começara a acontecer. Quando terminaram as gravações com José Emilio Rondeau, Renato, Dado, Negrete e Marcelo voltaram para Brasília. O disco só chegou às lojas nos primeiros dias de 1985, sem nenhum compacto precursor e, pior, soterrado pela mídia dedicada ao primeiro Rock in Rio, realizado em Jacarepaguá, entre 11 e 20 de janeiro, com atrações como Queen, Iron

Maiden, Yes, James Taylor, Barão Vermelho, Paralamas do Sucesso. Pela televisão, Dado viu Herbert, Bi e Barone tocando numa aparição no *Jornal Nacional* e vibrou pelos amigos. A ausência de compacto era fortuita. Havia uma música levada só no sintetizador e na bateria eletrônica, sem letra ainda, bem dançante. Rondeau ficou empolgado e a levou para Mayrton Bahia ouvir. Os dois pensaram em lançá-la como *single* à frente do primeiro LP. Quando essa idéia foi exposta à banda, a resposta foi (então) surpreendente: todos se recusaram a finalizar a tal faixa, argumentando que ela daria uma falsa idéia do que era a Legião, que a Legião não era uma banda de sintetizador e bateria. Foi arquivada. Transposta para os roqueiros guitarra, teclados, baixo e bateria no segundo LP, ela ficaria conhecida sob o nome "Daniel na cova dos leões". E assim *Legião Urbana* ficou sem *single*.

O disco amargaria uma hibernação de seis meses, até começar a estourar, música a música, no boca a boca, no ouvido a ouvido. Sua capa era de uma simplicidade comovente. Apenas o nome da banda e uma foto em preto-e-branco de Mauricio Valladares: Marcelo olhando para a esquerda, Negrete olhando para a frente, Dado meio encoberto olhando para a direita, Renato em primeiro plano olhando para a frente. Mais *low profile* impossível. A própria EMI-Odeon não fazia muita fé na banda. Achava que se vendesse 5 mil cópias do LP já estaria de bom tamanho. Dez mil cópias era uma projeção megalomaníaca. Alguns de seus funcionários até cismaram que a Legião servia apenas de contrapeso para os Paralamas. Vendiam Herbert e empurravam Renato.

Então, a primeira faixa do álbum, "Será", virou um *hit*. Quase na ordem em que se encontravam no disco, as outras foram se seguindo na predileção dos ouvintes das rádios, até "Por enquanto". Em termos de vendas, o LP passou de passagem pelas 50 mil cópias vendidas. Havia uma demanda reprimida por Legião Urbana. E o quarteto teve de vir novamente de Brasília para atendê-la. Dessa vez, a mudança seria definitiva. Renato, por exemplo, chegou de vez em agosto de 1985 e foi morar na mesma casa de sua infância, na rua Maraú, na Ilha do Governador, com seus avós, tios (inclusive a querida Maria do Socorro, ou tia Socorrinho) e primos. Fechou e transformou

MAURICIO VALLADARES

a antiga área da varanda num quarto, quase numa casa à parte, na qual podia se isolar do resto da família. Lá ficaria até o comecinho dos anos 90, quando foi morar no hotel Sheraton, na avenida Niemeyer, enquanto esperava ficar pronto o apartamento da Nascimento Silva.

Embora tivesse um pé e meio atrás em relação à televisão, o grupo aceitou aparecer no programa do Chacrinha. O Velho Guerreiro também ouvira "Será" e gostara da voz de Renato, que lhe lembrara a de um de seus cantores favoritos, Jerry Adriani. Este, por sua vez, também se surpreendera ao ouvir a música pela primeira vez, por acaso, enquanto visitava uma rádio em Goiânia. "Que música é essa que eu gravei?", foi seu reflexo. Algum tempo depois, quando se encontraram pela primeira vez nos estúdios da Rede Bandeirantes, em São Paulo, um tímido Renato perguntou a Jerry: "Você acha que nossas vozes são parecidas mesmo?". O astro da Jovem Guarda foi sincero: "Olha, parecem mesmo, mas relaxa que o bicho não é tão feio quanto pintam". Assim, os dois vozeirões ficaram meio amigos, se respeitando, driblando as tentativas que a imprensa fazia de jogar um contra o outro, se cruzando de vez em quando em shows e vôos. Num deles, para Porto Alegre, Renato contou a Jerry que se tornou cantor depois de ter sonhado com uma luz no céu, luz que se transformava em Elvis Presley, Elvis Presley que se transformava em Jerry Adriani. No sonho, Jerry lhe dizia: "Filho, vai em frente". Renato foi. Em 1999, três anos depois da sua morte, Jerry prestaria-lhe uma bonita homenagem, gravando dez músicas da Legião vertidas para o italiano — incluindo "Una volta" ("Há tempos"), "Vento sul litorale" ("Vento no litoral") e "Quando il sole entrerà dalla finestra della tua stanza" ("Quando o sol bater na janela do teu quarto") — no CD *Forza sempre*, que vendeu mais de 200 mil cópias.

Quando, porém, aqueles punks chegaram no estúdio do programa do Chacrinha, todos molambentos, foram rejeitados e tiveram que tomar um banho de loja na Company. Eles eram punks mas não rasgavam dinheiro. "Não vou ser anarquista e passar fome", pensara Renato. Dentro desse espírito pragmático, o grupo fez shows em quase todos os palcos disponíveis em bares e danceterias no Rio de Janeiro daquele tempo: Let It Be, Mamão com Açúcar, Mamute, Manhattan, Metrópolis, Mistura Fina, Morro da Urca — os cinco últimos formavam "o circuito dos emes".

Assim, quando *Dois* chegou às lojas, na virada de julho para agosto de 1986, a Legião Urbana ainda estava muito ocupada contentando os fãs que pouco a pouco descobriam seu primeiro LP, fãs que, àquela altura, já haviam comprado 100 mil cópias dele. Nada mais natural, portanto, que Denise mal conhecesse a banda. A EMI-Odeon forçara uma barra, querendo que Renato & Cia. gravassem mais do mesmo, ou seja, o resto do material que já estava pronto havia tempos mas ficara de fora de *Legião Urbana*, músicas dos tempos do Aborto Elétrico e do Trovador Solitário, tipo "Que país é este" ou "Química". Agora com o experiente Mayrton Bahia em pessoa na produção — que ele não pudera assumir na gravação anterior por estar envolvido com o terceiro disco da Blitz carioca —, a banda bateu pé e registrou somente novas canções. Eram tantas que quase desaguaram num álbum duplo, a se chamar *Mitologia e intuição*. Manter o controle era importante não por uma birra infantil, mas porque *Legião Urbana* e *Dois* tinham concepções inteiramente diversas. O segundo era muito mais influenciado pelos Beatles — uma velha paixão de Renato — do que o primeiro — mais punk. Postos lado a lado, inclusive, um ajudava a entender o quanto o outro tinha de conceitual. Se o disco de 1985 retratava a busca pela ética na esfera pública, o de 1986 voltava sua atenção para a busca pela ética na esfera privada. No encarte, uma foto em sépia de Ico Ouro Preto deixava claro a que *Dois* o trabalho se referia: um casal abraçado contemplava o mar, de costas para a câmera.

O disco abria com "Daniel na cova dos leões", parceria dos dois Renatos, no qual o Russo driblava habilmente os pronomes pessoais de modo a contemplar todas as formas de amor, hetero e homossexual, em versos como "Aquele gosto amargo do teu corpo/ Ficou na minha boca por mais tempo:/ De amargo e então salgado ficou doce" ou "[...] tão certo quanto o erro de ser barco/ A motor e insistir em usar os remos". Aqui, Renato estava mais preocupado que nunca em escrever bem. Não só porque ele sempre gostara de ler bons autores, mas também porque se irritava com a tendência do rock brasileiro pré-anos 80, exceção feita a Raul Seixas e Rita Lee,

NADA MAIS VAI ME FERIR

É QUE EU JÁ ME ACOSTUMEI
COM A ESTRADA
ERRADA QUE EU SEGUI
E COM A MINHA
PRÓPRIA LEI.

TENHO O QUE FICOU

E TENHO SORTE ATÉ DEMAIS,
COMO SEI QUE TENS TAMBÉM

de ou ser *hard* ("Meninaaa, eu quero o seu amooor, yeah", exemplificava, soltando o vozeirão à la Made in Brazil) ou *soft* demais ("A estrada da vida, a ternura do caminho da terra", fazia um falsete, imitando Beto Guedes). "Eu não, eu queria cantar que nem Iggy Pop, David Bowie, Jim Morrison", diferenciava. "E eu estava tentando escrever como Bob Dylan e John Lydon." Referências, referências...

Dois era mais pretensioso que *Legião Urbana*, quando nada porque a banda tinha adquirido maior domínio do estúdio. "Acrilic on Canvas" e "Plantas embaixo do aquário" tinham até fitas ao contrário, truquezinho beatlemaníaco. A primeira, segundo Renato, era uma tentativa de fazer rock inglês da Factory (gravadora de Manchester, responsável, entre outros, pelos discos do Joy Division e do New Order). Quando "Tempo perdido" começou a tocar nas rádios, muita gente comparou-a ao trabalho que outra banda da cidade industrial inglesa, os Smiths, estavam fazendo. Na época, isso deixou Renato chateado. Contudo, olhando para trás, ele depois fez um *mea culpa* importante, conforme passou a achar "Tempo perdido" realmente parecida com os Smiths: como trabalhava o tempo todo relacionando uma coisa a outra, ele chegava no estúdio dizendo "olha, o bumbo eu quero como naquela música do Cure, o baixo meio Echo & The Bunnymen etc.". Os técnicos freqüentemente tomavam essas indicações ao pé da letra, em vez de as tomarem como base. Com o tempo, aliás, Renato foi desenvolvendo um jeito ainda mais pessoal de orientar músicos. "Essa nota deve soar azul", dizia. E ai de quem não entendesse.

Naquele disco de 1986, as letras de Renato cresceram audivelmente ao se interiorizarem, bem como o instrumental de Dado, Negrete e Marcelo, ao assumir sem traumas sua porção acústica. "Nosso suor sagrado/ É bem mais belo que esse sangue amargo", dizia "Tempo perdido", cujos versos iniciais ("Todos os dias quando acordo...") foram herdados de uma canção inédita, "1977", que quase entrou no primeiro LP. "Nada mais vai me ferir/ É que eu já me acostumei/ Com a estrada errada que eu segui/ E com a minha própria lei. Tenho o que ficou/ E tenho sorte até demais,/ Como sei que tens também", finalizava "Andrea Doria", uma canção de despedida que, no meio, falava de uma solidão que sempre rondava Renato, apesar dos amigos, apesar do sucesso crescente: "Eu sei — É tudo sem sentido./ Quero ter alguém com quem conversar. Alguém que depois não use o que eu disse/ Contra mim". Não que a esfera pública estivesse mal representada em *Dois*, não mesmo. Lá estavam "Fábrica" ("De onde vem a indiferença/ Temperada a ferro e fogo?/ Quem guarda os portões da fábrica?") e "Índios" ("Quem me dera, ao menos uma vez,/ Como a mais bela tribo, dos mais belos índios,/ Não ser atacado por ser inocente"). Esta música tinha aspas já no título original — Renato falava de "índios", não de índios, o que faz bastante diferença — havia sido pensada como o "Tema do Clube da Criança Junkie", aquele presidido pelo jovem Dado, e entrou no disco já na fase de mixagem, desalojando o *cover* da banda para "Juízo final", de Nelson Cavaquinho e Élcio Soares. O LP era pequeno demais para as duas. A fita cassete distribuída à imprensa, no entanto, era completada por uma primeira versão para "Química".

Com tanta música nova e boa, não deixou de ser uma ironia que seu grande sucesso fosse uma música do Trovador Solitário, "Eduardo e Mônica". Renato a levava sozinho ao violão, "à moda Mamas & Papas", e embora a menina fosse inspirada em sua amiga Leonice de Araújo Coimbra, não havia ninguém de carne e osso para responder pelo *boyzinho*, o que viria a frustrar inúmeras equipes de reportagem. No entanto, a letra era familiar a qualquer casalzinho que um dia tenha tentado aparar as arestas de modo a se entender melhor. "Eduardo e Mônica eram nada parecidos/ Ela era de Leão e ele tinha 16/ Ela fazia medicina e falava alemão/ E ele ainda nas aulinhas de inglês", diferenciava a princípio. "E todo mundo diz que ele completa ela e vice-versa, que nem feijão com arroz", conciliava ao final. A sensibilidade de Renato em tratar os relacionamentos amorosos só encontra paralelo no modo como Chico Buarque encarna suas personas femininas. Mais do que uma canção de amor, "Eduardo e Mônica" era uma canção amorosa. Amorosa e gentil. Coisa de menestrel medieval, de gentil-homem. Casava perfeitamente com o sujeito que Denise Bandeira conheceu naquela sessão do Riocine.

"A primeira impressão que ele me deu foi a de um homem extremamente inteligente, bem educadíssimo, enfim, como se dizia antigamente, um cavalheiro!", lembraria a atriz e roteirista. Era uma outra visão do mesmo cavaleiro romântico que havia chapado José Emilio Rondeau durante a audição de "Será". Renato tinha impulsos. Podia estar vendo uma novela de televisão à noite, se encantar com o desempenho de uma atriz e, na manhã seguinte, enviar-lhe flores com um cartão carinhoso. Denise, naturalmente, foi soterrada por rosas e presentes. Gostava mais dos que o próprio Renato fazia: fitas de música ou de vídeo que gravava especialmente para ela, ou fitas de desenhos animados antigos com que presenteava o filho dela. Dar presentes, na verdade, era um dos grandes prazeres de Renato. Ele passava por alguma coisa numa vitrine, achava a cara de um amigo e comprava. Não importava o quanto o mimo lhe custava, torrava dinheiro mesmo. Valia era a satisfação de ver a cara de pasmo da pessoa. Também enchia a família de presentes — a mãe, as tias e, mais tarde, o próprio filho, Giuliano — trazidos das viagens pelo Brasil, a trabalho, ou ao exterior, a lazer. Claro, nem tudo eram flores. Renato era muito temperamental, com a família, com os colegas de trabalho, com os amigos, com Denise. "Mas acho que ele sempre tentou me poupar", diria ela. "Ainda assim brigávamos muito mas fazíamos logo as pazes."

Outra fonte freqüente de contato era o telefone. Não só com Denise, mas com todo o resto do mundo. Sabe os versos "Feche a porta do seu quarto/ Porque se toca o telefone pode ser alguém/ Com quem você quer falar/ Por horas e horas e horas"? Esse alguém era Renato. Ligava para as pessoas — amigos, colegas de trabalho, os próprios pais — nas horas mais insólitas, alta madrugada. Para jogar conversa fora, discutir problemas na produção de um disco, ler entusiasmado letras que acabara de concluir ou, ao menos, de deixar numa forma palatável para seu aguçado senso autocrítico. Trabalhava duro, o tempo todo. Partia de uma idéia captada aqui ou ali, jogava frases nem sempre muito conexas no papel, estabelecia elos entre elas e ia retrabalhando, burilando, lambendo a cria. Quando achava que ela já podia ser lambida pelos outros também, tome telefonema. Denise ouviu várias primeiras partes. Normalmente adorava. "Mas uma vez ou outra quando eu fazia uma observação sobre uma frase ou outra que eu não gostava muito, aí é que ele defendia mesmo a tal frase com unhas e dentes", descreveria. Entre as letras que no decorrer dos anos de amizade ouviria na íntegra, já na brilhante forma final, estavam "Pais e filhos" (de *As quatro estações*, 1989) e "Perfeição" (de *O descobrimento do Brasil*, 1993).

Renato consumia livros com a mesma voracidade que consumia discos. Muitos desses livros eram de poesia. Eles serviam para afinar seus próprios versos — mas não para fazê-lo considerar-se um poeta. Em 23 de janeiro de 1988, uma entrevista com ele seria publicada no prestigioso caderno Idéias, do *Jornal do Brasil*. Nela, ele declarava ao repórter Luiz Carlos Mansur: "Me vejo mais como um letrista mesmo. Eu escrevo alguma poesia em casa, mas essas eu não tenho coragem de mostrar". E ia adiante, falando de poesia, prosa, filosofia, ética. Às vezes uma de suas poesias — ou ao menos de versos que não haviam logrado se transformar em canções — ganhava coragem e via a luz do dia. No número 1 da revista *Reflexo*, por exemplo, publicada em outubro de 1986, havia um poema de sua autoria, batizado de "Scorpio rising", mesmo título de um filme *underground* de 1963, do diretor californiano Kenneth Anger, obcecado pelo ocultista inglês Aleister Crowley e pelos modernos rituais homossexuais masculinos, recobertos de couro preto. Sobre esse pano de fundo referencial, Renato escrevia um roteiro decupado em versos com algumas iluminações salpicadas: "Acho que você tem ciúmes, mas não faz mal./ Você não sabe aproveitar a vida/ E talvez essa seja uma de/ Suas maiores virtudes/ Não há dúvida".

Referências e telefonemas juntaram-se também na sua relação com a jornalista Ana Maria Bahiana, havia tempos um norte na vida dos (então) poucos garotos brasileiros que ouviam rock. Antes, durante e depois da gravação de *Legião Urbana*, produzido por seu marido José Emilio Rondeau, ela manteve uma correspondência regular com Renato. Durante 15 anos, as cartas e os bilhetes dele ficaram nalgum canto de sua garagem em Studio City, Los Angeles, onde o casal morou. Algum canto do qual Ana Maria não tinha coragem de se aproximar. Quando *Dois* estava sendo lançado, outra música a ganhar um clipe foi "Tempo perdido". A direção foi de Rondeau e a sinopse, de Ana Maria. Enquanto o áudio trazia versos como "Então me abraça forte/ E me diz mais uma vez/ Que já estamos distantes de tudo:/ Temos nosso próprio tempo", as imagens traziam os rostos de jovens — alguns adolescentes ainda — flagrados a um passo de se tornarem ícones pop, gente como John Lennon, Jimi Hendix, Janis Joplin, Brian Wilson e Pete Townshend. Os nomes dignos de figurar nesse *who's who* do imaginário de Renato foram discutidos em longos telefonemas entre a Ilha do Governador e o Leblon, bairro dos jornalistas. Volta e meia, Juninho aparecia para visitar a amiga que, como ele, sofria de enxaquecas terríveis.

Ficavam os dois conversando sobre discos antigos, sobre o *Álbum branco* ou sobre o *Pet Sounds*, sobre Van Morrison ou Nick Drake, na penumbra do quarto, a TV ligada sem som, Ana Maria recostada, Renato sentado no pé da cama. De onde de vez quando saía em direção à cozinha. Lá, o "moço fino" juntava-se à empregada, dona Maria José, nalguma tentativa de minorar o sofrimento da patroa. "Ele fazia chá de camomila", lembraria Ana Maria. "E uma outra vez apareceu com uma sopa de *missô* para mim, jurava que era um santo remédio." Em momentos menos dolorosos, a conversa entre os dois tomava outros rumos: poetas malditos, *O nome da rosa*, Umberto Eco, história medieval, *O banquete*, Platão. Tais papos, contudo, não eram desprovidos de angústia para Ana Maria. Não por não serem inteligentes e agradáveis, mas porque, ao fundo deles, ela enxergava algumas características próprias que a duras penas havia conseguido domar. Tanto quanto ela, Renato era autodestrutivo. "Eu sabia, o tempo todo, que a passagem dele por aqui ia ser curta", se emocionaria. "Havia muita urgência nas conversas da gente, epistolares ou não, uma espécie de reconhecimento mútuo. Mas quando eu conheci Renato eu já havia domado um bocado dos meus demônios. Ele ainda estava no meio da refrega."

FLAVIO COLKER

NÃÃÃÃÃO!

Há quem chame a meia-noite de "a hora do Rabudo". Naquela fração de tempo ambígua, nem hoje nem amanhã, o Demônio deixaria o inferno para agir na terra. Não creio em bruxas mas... À meia-noite de 18 de junho de 1988, um sábado, as luzes do estádio de futebol Mané Garrincha se acenderam e rolou o diabo no gramado. Vinte minutos antes, após um show de pouco mais de uma hora de duração, a Legião Urbana havia deixado o pequeno palco armado numa das laterais do campo, no lado oposto ao lance mais alto da arquibancada. Havia sido o clímax de um confronto entre a banda e os agitados fãs da fila do gargarejo, possivelmente os mesmos que haviam depredado alguns ônibus na rodoviária de Brasília, ainda antes do horário marcado para o início do show, 21:30h. Sabe Deus por que, no entanto, houve um atraso enorme, que mesmo a necessidade de o diabético Dado tomar uma injeção de insulina não podia explicar. Como resultado, os primeiros acordes de "Que país é este" só se fizeram ouvir às 22:35h. Apesar da carga dramática de se cantar aquela música naquela cidade, houve calma durante sua estremecedora execução, enriquecida pela parábola dos anjinhos, contada por Renato: ao serem despachadas do céu para os países onde iam nascer, as crianças recebiam seus destinos de modo diferente. O mexicano aceitava, o tcheco sorria e o brasileiro soltava um berro lancinante: "Nããããão!". A platéia estimada em 50 mil pessoas riu e aplaudiu muito, aquecendo a noite de 15 graus.

Foi tudo bem também nas duas músicas seguintes, "Eu sei" e "Quase sem querer". Durante a quarta música, porém, o Rabudo mandou um mensageiro. Renato cantava "Conexão amazônica", no meio do qual inserira a saga do Clube da Criança Junkie ("Dois sobreviveram, dois se casaram, um morreu e outro ficou assim...", concluía, imitando um entrevado) e versos de "Satisfaction", dos Rolling Stones, quando um doente mental, manco como uma criança *junkie*, irrompeu no palco por trás do cantor, deu-lhe uma chave no pescoço e golpeou-o com um canudo de papel. No afã de se libertar dele, Renato usou o microfone para se defender, extraindo sons da cabeça oca do invasor. Logo, a segurança chefiada por Sérgio KGB entrou em ação e arrastou-o para fora do palco, aos pescoções.

Aquele incidente pareceu ter sido a trombeta a anunciar o Apocalipse. Logo o palco estava diante de um *poltergeist*: sobre ele voavam objetos não-identificados e bombas tipo cabeça-de-negro. Durante outras sete músicas, Renato tentou domar a multidão. Com apelos mais ("Isso é coisa de garoto que não consegue arrumar namorada e fica se masturbando no banheiro") ou menos ("Quando vocês vão atingir a maioridade? Eu me dei bem, estou aqui ó, consegui chegar onde eu queria... E vocês?") gentis. Não deu certo. Mesmo mel teria o efeito de gasolina naquela fogueira. "Você tocava na expectativa de que um daqueles troços explodisse do seu lado", lembraria Dado. Os *roadies* ficavam com copos d'água vigiando para apagar as bombinhas que caíam no palco. Ao mesmo tempo que Dado, Negrete e Marcelo tentavam se esquivar dos petardos, Renato defendia os fãs que, próximos demais de um palco muito baixo, apanhavam sem razão da segurança. "Larga ele, não tem mão na cara, não!", gritava, ameaçando descer para dar mais algumas microfonadas, dessa vez na cabeça dos que pensavam estar lhe protegendo. Minutos depois, eram os fãs mais agressivos os ameaçados: "Aqui tem segurança bastante para dar porrada em todos vocês!".

Com a cabeça fervilhando de paralelos, Renato citou Mick Jagger em Altamont, show realizado num autódromo da Califórnia em 6 de dezembro de 1969. Nele, um espectador armado com um revólver foi mortalmente esfaqueado pela segurança (composta por motoqueiros da gangue dos Hell's Angels!) diante do palco. Aquela turnê americana dos Stones resultou num documentário, *Gimme Shelter*. Pois foi essa música que Renato cantarolou no Mané Garrincha, como havia feito, sem tanta pertinência, em inúmeras outras cidades do país naquela turnê: "Oh, a storm is threat'ning my very life today..." (Oh, hoje uma tempestade ameaça a minha própria vida). "Parecia Altamont e eu parecia Mick Jagger cantando 'Gimme Shelter'", se assombraria Renato ainda naquela madrugada, num quarto de hotel. Depois da citação, a Legião ainda atacou "Faroeste caboclo", "Tempo perdido" e, palavras de Renato, "uma música que é muito importante para nós e tem tudo a ver com o momento de agora": "Será". "Será que é tudo isso em vão?", indagou.

Naquele momento, ele deve ter chegado à conclusão que sim, que era tudo aquilo em vão. Tanto que às 23:40h a banda abandonou o palco, pois os objetos não davam sinais de estiar. À meia-noite, portanto, as luzes foram acesas: *Armagideon Time*. Foi quando a multidão começou a jogar as frágeis cercas que a separavam da banda para o alto e a incendiar a lona que recobria o gramado. Os que não tinham nada a ver com a baderna — ou seja, a maioria — ou saíam correndo ou eram pisoteados. A PM do Distrito Federal avançou com seus cães e seus cavalos. Um pandemônio. As pessoas nas arquibancadas sequer enxergaram ou entendiam o que estava se passando lá embaixo, na frente daquele distante e minúsculo patíbulo. Depois do show os pais de Marcelo Bonfá chegaram a ralhar: "Filho, como vocês puderam fazer isso com os fãs?!". O baterista mandou-os passear. Num canto dos camarins, Dado Villa-Lobos chorava. Chorava até Renato Rocha que, na maior parte do tempo, no palco ou fora dele, lembrava uma esfinge, impassível, indecifrável. A única representante da família Manfredini no Mané Garrincha — seu Renato e dona Maria do Carmo estavam passando uma temporada de um ano no Rio — também não entendeu nada. E olhe que Carmem Teresa estava na linha de frente, encurralada com a imprensa e a equipe do *videomaker* Jodele Larcher (que a tudo filmava) entre as cercas de metal não altas o bastante e o palco baixo demais, uma estrutura subdimensionada pela firma produtora local, a Agora Eles, de Luiz Fernando Artigas, amigo de Renato. "Eu demorei a reagir", recordaria a irmã do cantor. "Havia uma vibração ruim no estádio".

Havia grandes expectativas de todos os lados. Para Renato, aquele seria o show de sua vida, a coroação de sua carreira, o retorno do filho pródigo depois de uma ausência de um ano e meio, motivada, segundo ele, pela morte de uma menina durante o show de lançamento de *Dois* no ginásio de esportes Nilson Nelson, em dezembro de 1986. O governo do Distrito Federal, na administração biônica José Aparecido de Oliveira, também embarcou na história do filho pródigo. No Mané Garrincha, pôs faixas saudando a banda como "O orgulho de Brasília". Apesar do clima festivo, na sexta-feira que antecedeu ao show Renato vagou pelos corredores do hotel St. Paul à procura de uma Bíblia. Estava inquieto. "O curioso é que a gente acaba ficando com a percepção aguçada para esse tipo de coisa", declarou Marcelo logo depois do tumulto. "Na véspera do show baixou a maior deprê. Parece que a gente sente a coisa no ar." Na manhã do sábado, no *lobby* do hotel, Dado saudava premonitoriamente os repórteres que chegavam do Rio de Janeiro e de São Paulo: "Estamos aqui nessa cidade horrível. Divirtam-se... Enquanto podem."

Os fãs também estavam excitados. Cercavam o St. Paul como se estivessem na praça de São Pedro, à espera de uma aparição do papa. Às vezes, ele até aparecia. "Ele é muito caladão. Fui pedir um autógrafo e você acredita que ele não falou nada? Só me deu isso...", estranhava Rosane Barbosa da Silva, então com 21 anos, moradora da cidade-satélite de Taguatinga, exibindo o papel assinado por Renato, no qual ele também desenhara um coraçãozinho. "Ele fala do que é real, as outras bandas só falam bobagem", dizia Giovanni Barbosa, de 15 anos, morador de outra cidade-satélite, Guará 1. Com alguns amigos igualmente pobres, ele levara os LPs *Legião Urbana*, *Dois* e *Que país é este* para serem autografados. Contudo, não se contentara com isso. Catou do chão de terra vermelha batida uma guimba de cigarro atirada por Renato. E a exibia como um troféu a quem passasse por ele. Tanto Rosane quanto Giovanni eram sintomas daquilo que alguém batizaria — para profundo desgosto dos Renatos, de Dado e de Marcelo — de Religião Urbana. A banda estava flertando perigosamente com o messianismo, sem atentar para o fato de que, já dizia o poeta Augusto dos Anjos, a boca que beija é a mesma que escarra. Em Brasília, a Legião Urbana chegou sob aplausos e saiu sob cusparadas.

Na verdade, aquele conflito entre amor e ódio estava em gestação desde bem antes. Desde quase dois anos antes, quando *Dois* chegara aos fãs. O impacto do disco somou-se ao do resistente *Legião Urbana* e mudou a escala dos seus shows. No Rio, o segundo LP foi lançado na Noites Cariocas, danceteria no alto do Morro da Urca, em dois fins de semana consecutivos no final de agosto de 1986. O primeiro teve casa cheia, isto é, algumas centenas de pessoas, mas o segundo... Dava para se assistir aos shows confortavelmente, com os cotovelos apoiados no tablado — pois não havia nenhuma espécie de grade de isolamento ou cordão de seguranças — e ver Renato ler a ordem das canções no papel pregado ao chão com fita crepe, no intervalo entre suas sessões de dança oligofrênica, desconjuntada. Dado, tímido, só não tocava sua guitarra de costas para a platéia porque seria falta de educação. No outro canto do palco, Negrete dedilhava seu baixo, quieto, catatônico. E Marcelo, lá atrás, na bateria, vibrava sozinho. Quatro personalidades bem distintas. Os punks que *pogavam*, naquela curiosa combinação de dança e *kickboxing*, ficavam mais atrás na pista vazia e, lá atrás, nas arquibancadas, esparramavam-se uns gatos pingados. Nesse cenário, ficava realçada a impressão — passada pela Legião Urbana mesmo em estádios hiperlotados — de que, quando Renato cantava, estava se dirigindo a cada pessoa em particular, não a uma massa indistinta, não a uma vala comum de sentimentos. "Ei, esse cara está falando é comigo!", era o sentimento de todo e qualquer espectador.

No espaço de um mês, conforme as vendagens de discos de rock cresciam alucinadamente (*Rádio pirata — Ao vivo*, do RPM, atingiria 2,2 milhões de cópias!), impulsionadas pela falsa prosperidade do Plano Cruzado, anunciado pelo presidente José Sarney em 28 de fevereiro, a Legião estaria se apresentando numa temporada de lotações esgotadas no Canecão, coisa de três, quatro mil pessoas por noite. Ainda ali, cada fã vivia a experiência de receber aquelas letras e aquelas melodias de forma absolutamente particular. Na cabeça da banda, tudo foi muito rápido. "A excursão de *Legião Urbana* foi feita em casas noturnas, a de *Dois* em ginásios, a de *Que país é este* em estádios de futebol", sintetizaria Dado. Eram precisamente estas as distâncias, concretas e simbólicas, entre as danceterias cariocas, o Nilson Nelson e o Mané Garrincha.

Em setembro de 1987, a Legião Urbana suspendeu as gravações de seu terceiro disco. Dado cogitou enveredar pela diplomacia. Marcelo pensou em ir pegar onda na Austrália. Renato travou. Não conseguia compor nada que passasse por seu próprio crivo. Talvez se sentisse pressionado pelas então fenomenais 700 mil cópias vendidas de *Dois*. Concedeu até entrevista ao *Jornal do Brasil* a fim de explicar sua pausa para reflexão. "Ainda não encontramos nenhum fio, do modo como o primeiro era porradão e o segundo introspectivo", declarou. Ele também estava se sentindo desconfortável no papel de novo porta-voz da juventude, ainda mais porque tinha perfeita consciência da responsabilidade social de um artista. Até então não se sentia à vontade, por exemplo, para tratar de um tema como identidade sexual, dada a enorme parcela de crianças entre os seus fãs. "Sou jovem de vinte e poucos anos, não sei nada da vida", reclamava. "E as pessoas bebem minhas palavras como água. E escrevo justamente porque não sei. Não quero que minha opinião sobre temas controvertidos, drogas, por exemplo, influencie outra pessoa." Recusava-se, pois, a ceder aos aspectos mais mórbidos da catarse: "Todo mundo quer que Renato Russo vire *junkie*. Não vou fazer isso, não mesmo." Daí a necessidade de dar um tempo. "Quando você faz sucesso com uma banda de rock'n'roll, você tem de conviver justamente com as pessoas de quem queria fugir ao fundar uma banda de rock'n'roll", queixava-se.

No final das contas, o tal tempo revelou-se incrivelmente curto. No mês seguinte, outubro, a Legião já estava de volta ao estúdio. A gravadora pressionava a galinha dos ovos de ouro a pôr mais um disco antes do Natal. E Renato também gostava da idéia de dar um presente aos fãs. Dessa forma, chegou à solução que agradaria a gregos e troianos: gravar uma

E AGORA VOCÊ QUER UM
RETRATO DO PAÍS
MAS QUEIMARAM O FILME
E ENQUANTO ISSO,
NA ENFERMARIA,

TODOS OS DOENTES
ESTÃO CANTANDO
SUCESSOS POPULARES.

(E TODOS OS ÍNDIOS FORAM MORTOS.)

espécie de antologia, com músicas do Aborto Elétrico e do Trovador Solitário, há muito incorporadas ao repertório da banda. Afinal, "Que país é este" e "Faroeste caboclo" eram conhecidas somente dos que iam aos shows. "Aquelas músicas eram uma novidade para o Brasil inteiro", diria Dado. De material realmente novo, o LP traria a amorosa-ecológica "Angra dos Reis" (dos dois Renatos e de Marcelo) e a irada "Mais do mesmo" (de todos quatro), dos versos "E agora você quer um retrato do país/ Mas queimaram o filme/ E enquanto isso, na enfermaria,/ Todos os doentes estão cantando sucessos populares./ (E todos os índios foram mortos)". Planejou-se até batizar o disco de *Mais do mesmo*, ironicamente. Ficou sendo *Que país é este — 1978/1987*. *Mais do mesmo* seria o título da antologia póstuma — autorizada a contragosto por Dado e Marcelo — lançada em 1998, com a condição de permanecer apenas um ano no catálogo da EMI-Odeon. Como o disco começou a ser pirateado loucamente, voltaria às lojas em 2000.

O trabalho produzido por Mayrton Bahia foi rápido e divertido, coisa de 15 dias para gravar e mais 15 para mixar. Nessa fase, improvisou-se até um torneio de vôlei no enorme Estúdio 1 da rua Mena Barreto. O espaço da quadra foi delimitado com fita crepe e os rebatedores, espécie de biombos usados para separar os instrumentos, ficaram no meio, servindo de rede. Duplas e mais duplas se enfrentaram. Dado e Negrete ganhavam de quase todas. E até Renato, aliviado por ter resolvido o dilema do terceiro disco, participou da brincadeira. Assim, em 10 de dezembro, menos de três meses depois da pausa para reflexão, a banda já estava dando entrevistas sobre *Que país é este*. "Essas músicas falam das mesmas coisas que falariam as do terceiro LP", contou Renato. "São coisas de que queríamos falar: Constituição, cocaína, solidão. Mas são letras antigas, adolescentes." Para promover o disco, a Legião breve voltaria à estrada, a mesma que a conduziria a Brasília, em junho.

Nessa excursão, a banda já estava de empresário novo. Fernanda Villa-Lobos se retirava e assumia o comando Rafael Borges. Quando Renato Rocha deixasse a banda, o que não demoraria muito a acontecer, a Legião permaneceria funcionando como um quarteto. A diferença seria que o santista nascido em 14 de junho de 1952 não subia no palco. Quando surgia uma divergência entre os membros da banda, ela era resolvida entre Renato, Dado, Marcelo e Rafael, longe das vistas do outros membros da equipe, fossem eles músicos, técnicos ou *roadies*. Se alguém objetava "mas peraí, Rafael, o Bonfá disse para fazer diferente" recebia como resposta um curto e seco "isso não é da sua conta". Rafael era, na origem, um cineclubista, interessado sobretudo em cinema-verdade. Pensando nisso, no poder social da sétima arte, ele chegara a se matricular em antropologia na Universidade do Chile, mas o golpe do general Pinochet contra Salvador Allende, em 1973, abortara a idéia. Depois, passara um tempo estudando cinema, na Bélgica.

Na volta, Rafael começou a cuidar da programação nas salas de cinema do Carbono-14, na rua 13 de Maio, no Bixiga, em São Paulo. Além dos espaços dedicados a 35mm, 16mm, Super-8 e vídeo, a casa tinha bar, danceteria, galeria. Lá, ele primeiro tomou contato com a produção de um show através do Gota Suspensa, banda de rock instrumental que, mais tarde, embelezada pela francesinha Virginie Boutaud, mudaria de nome para Metrô. Acabou se afastando dos documentários — depois de rodar alguns, sobre pintores paulistanos e sobre favelas — devido às dificuldades de fazer cinema no Brasil. Logo ele estava de volta à sua cidade natal, cuidando da direção artística da danceteria Heavy Metal, para novecentas pessoas. O forte da programação era o pessoal da Lira Paulistana: Arrigo Barnabé, Itamar Assumpção, Rumo. Às terças, rolava uma noite mais pop, na qual se apresentaram, entre outros, os Paralamas do Sucesso e o Barão Vermelho. Um dia de 1984 Rafael recebeu a visita de Dado Villa-Lobos e alguns amigos, pedindo espaço para tocar. Dado levou-lhe uma fita. "Ali eu pensei: 'É a melhor banda do país'", lembraria o empresário, que logo marcou uma apresentação. E lá veio a Legião, com Renato Russo ainda no baixo, nada de Negrete. Rafael ficou comovido com o que viu, e manteve-se paquerando a trajetória do grupo. Quando saiu *Dois*, agendou o show no Caiçara Music Hall, capaz de abrigar cinco ou seis mil pessoas e com melhores condições técnicas e operacionais. "Por que você não faz mais coisas com a gente?", perguntou-lhe Renato. Rafael começou, então, a agendar shows da Legião

Urbana em outras cidades de São Paulo, como, por exemplo, Santo André. A proximidade foi crescendo até que, logo depois do lançamento de *Que país é este*, resultou num convite oficial para que ele se tornasse o empresário da banda.

Quando Rafael veio para o Rio, a turnê estava prestes a começar. Faltava apenas assinar o contrato para participação no Alternativa Nativa, organizado pela produtora Showbrás, de Gil Lopes e Carmela Forsin, no Maracanãzinho. Na sexta-feira, 22 de janeiro de 1988, tocaria Lobão. No sábado, seria a vez de Leo Jaime e do Kid Abelha. A Legião fecharia a segunda edição do festival no domingo, mais de um ano depois de sua última apresentação no Rio. Vinte mil pessoas superlotavam o ginásio. O roteiro foi praticamente o mesmo que a banda tentaria seguir seis meses depois, no Mané Garrincha: "Que país é este", "Eu sei", "Quase sem querer", "Conexão amazônica", "O reggae", "A dança"... E no meio das músicas Renato ia enfiando seus *cacos*, para delírio da platéia. Os tais *cacos* podiam ser musicais: "Guns of Brixton", do Clash, no meio de "O reggae"; ou "Gimme Shelter", dos Stones, e "Love Is the Drug", de Bryan Ferry, no de "Ainda é cedo". Mas os que faziam maior sucesso eram os políticos, no sentido amplo: protestando contra "as matanças rituais de homossexuais" ("Todo mundo tem direito de amar quem quiser e não morrer esfaqueado por um surfista calhorda!") no final de "Daniel na cova dos leões"; ou clamando por eleições diretas para presidente ("Exija eleição! É só com a gente votando que a gente pode mudar alguma coisa!") no "Que país é este" do bis. Em perfeita sintonia, uma faixa na arquibancada perguntava "Que Sarney é este?".

Durante todo o tempo, porém, Renato conduzia a platéia para onde queria, qual um pastor de ovelhas desgarradas. As pessoas cantavam "É Legião, é Legião, olê, olê, olê..." como se estivessem no maior estádio do mundo, ali ao lado, torcendo por seu time do coração. De vez em quando, Renato as botava para gritar "hei, hei, hei" com os braços levantados, o que fazia pensar num comício nazista revisto por Alan Parker em "The Wall", ópera-rock do Pink Floyd. Tudo soava melhor, e mais apropriado, quando o apelo vinha de outra fonte. "Ergam suas mãos em oração!", era a senha para a execução de "Geração Coca-Cola". Pois era religioso o fervor com que o público acompanhava sucessos como "Tempo perdido" ou "Será". Nesse clima, a despedida do cantor era mais que coerente: "Que Deus abençoe vocês. Obrigado, boa-noite". Havia um conceito ali, naquela banda. "Eu não me sentia um produtor de shows, mas um produtor alinhado a um projeto artístico", exultaria Rafael. No entanto, aquele seu primeiro espetáculo como empresário da Legião Urbana pareceria brincadeira de criança se comparado às situações difíceis que iria enfrentar pelo Brasil.

No começo de março, *Que país é este* chegou ao topo da parada de LPs mais vendidos, com 240 mil cópias. Era absolutamente improvável que aquilo acontecesse. Mas aconteceu. Quando soube, Renato exultou: "Isso é uma honra! O público tem inteligência, ele escuta Legião Urbana sem jabá. O mais importante é o artista fazer as coisas que ele respeita, aí as pessoas passam a respeitar". Tão incrível quanto a vendagem do disco era o fato de "Faroeste caboclo" ter se tornado — a despeito dos nove minutos de duração que falavam de drogas, sexo, violência — a música mais pedida na programação da maior parte das FMs cariocas. Elas inclusive haviam tomado a iniciativa de editar os trechos que levaram a Censura Federal a proibir a radiodifusão da música, versos como "E não protejo general de dez estrelas, que fica atrás da mesa/ Com o cu na mão". No Brasil de 1988, qualquer criança de 7 anos cantava esses dois e os outros 157 versos de cor e salteado.

Entretanto, o messianismo neles contido estava saindo do controle de Renato e da banda. Uma semana antes do fatídico show de Brasília, bem no começo do segundo show no ginásio do Ibirapuera, em São Paulo, uma garrafa de cerveja acertou Marcelo. "De repente vi aquele sangue, mas demorei a entender que era o meu braço que estava sangrando", contou o baterista. Renato exigiu que as luzes fossem acesas, contou o que se passara segurando um caco de vidro na mão e deu o show por encerrado. Era uma forma de cortejar o desastre, mas a platéia implorou pela sua volta por vinte minutos. Ele voltou e improvisou uma cantiga sobre o incidente. A um pedido de Dado, as luzes foram apagadas novamente e o show prosseguiu.

Ao fim, o próprio Renato estava emocionado: "O que aconteceu hoje aqui foi inédito e histórico. Espero que vocês se lembrem disso com carinho". E como no Maracanãzinho: "Que Deus proteja todos vocês!". Tempos antes, em Curitiba, a banda teve de se proteger dentro de camburões da tropa de choque. Havia uma contradição em andamento: a Legião Urbana atacava o próprio aparato que garantia sua integridade física, tamanha era a exigência do público. Com um repertório explosivo daqueles, então, era questão de tempo até que a bomba-relógio fosse detonada.

Quando afinal houve a explosão, em Brasília, ninguém estava preparado para aquilo. E as reações foram extremadas de todos os lados. O governo José Aparecido, o mesmo que tentara atrelar a banda a seu projeto político, acusou-a de ter sido a responsável pelas 385 pessoas atendidas no serviço médico, as sessenta pessoas detidas pela PM, os 64 ônibus depredados e os 10 milhões de cruzados de prejuízo no estádio Mané Garrincha. O Departamento de Educação Física, Esportes e Recreação do Distrito Federal abriu processo contra a Legião Urbana. A Secretaria de Segurança acusou Renato de incitar à violência e de agredir a cidade e os presentes. Os jornais locais renegaram o grupo. Um publicou numa charge: "O que são aquilo, discos voadores? Não, são discos da Legião Urbana que os fãs estão jogando pela janela". Muitos LPs foram quebrados. Perto da casa dos pais de Renato, um muro foi pichado, com erro de concordância e tudo: "Legião, não voltem nunca mais". Nesse contexto, era até equilibrado o depoimento de uma estudante de 14 anos que tivera parte do cabelo arrancado por um cão da PM: "Foi sacanagem do Renato Russo, mas não é por isso que nós vamos sacanear um trabalho tão bonito como o dele".

Depois do show de Brasília, a Legião Urbana — e Renato, em particular — iria precisar de uma boa pausa para reflexão. Ainda na madrugada de 18 para 19 de junho, ele estava agitadíssimo, num quarto do hotel St. Paul onde o pessoal da EMI e os jornalistas de outras cidades haviam se reunido para comer alguma coisa e deixar a própria adrenalina baixar. Ele andava de um lado para outro, lembrando das esquisitices do lugar onde passara a adolescência. "Essa cidade deixa as pessoas malucas!", bradava. "Tinha um *boyzinho* que pegava o carro e ficava dando voltas em torno de um mastro em frente a um bar no Gilberto Salomão. Um dia ele perdeu a direção e o carro invadiu o bar, uma merda." Enquanto ele falava, lá embaixo, no estacionamento de terra batida do hotel, outro *boyzinho* (ou seria o mesmo?) brincava de dar cavalos-de-pau com seu carro. Renato tinha uma tese para aquela doideira toda. "Aconteceram coisas terríveis aqui em Brasília, só que ninguém sabe", dizia. "Muita gente morreu na construção da cidade. Mas, para ocultar os cadáveres, os candangos que morriam eram misturados com concreto." Ele então dava tapas nas paredes: "Deve haver candango morto aqui!". Na manhã seguinte, sua agitação ainda não havia cessado. Ele apareceu para se despedir de Dado — que havia pedido a Rafael para deixar Brasília o mais rápido possível — acompanhado de Ana Paula Camarinha. Impaciente, Dado queria que o carro partisse logo. Mas Renato não desgrudava da porta, falando desordenadamente, tentando encontrar razões para o desastre. Quando afinal chegou ao aeroporto, o guitarrista foi hostilizado por outros passageiros em busca de seus vôos.

Apesar do baque de ver transformado "o show da sua vida" num linchamento em praça pública, Renato segurou razoavelmente bem a onda. Passou mal, ficou deprimido, mas não entrou em crise profunda, o que era temor de seu pai, no Rio de Janeiro. "Ele tinha um comportamento ao mesmo tempo agressivo e infantil, infantil na sensibilidade", explicaria seu Renato. O filho, porém, teve que passar a semana se justificando nos jornais e nos telejornais. Apesar disso, o show do sábado seguinte, no Mineirinho, em Belo Horizonte, foi tranqüilo. Não foi atrapalhado nem pela acústica do ginásio, nem pelo fato de por precaução a banda ter ido e voltado dele precedida por batedores da PM e nem, muito menos, pelos pastores evangélicos que passaram a semana panfletando contra a realização do espetáculo. Para eles, Renato Russo é quem era "o emissário do Demônio".

VOCÊS NEM LIGARAM?!

Noutro sábado, dia 6 de janeiro de 1989, Reginaldo Ferreira da Costa, de 21 anos, amanheceu na Ilha do Governador. Tinha vindo de Duque de Caxias, onde morava, para entrevistar seu ídolo Renato Russo, na casa da rua Maraú. Reginaldo era presidente do recém-fundado fã-clube Por Enquanto — que nos bons tempos chegaria a ter trezentos sócios no Brasil todo — e se apaixonara pela Legião Urbana quando uma colega de curso pré-vestibular mostrou-lhe a letra da última música do primeiro disco. Quando saiu *Dois*, ele já estava a postos, colecionando tudo que dissesse respeito ao grupo e, em particular, a Renato. Quando saiu *Que país é este*, ele já acompanhava a turnê aonde fosse possível. Assim, presenciara o show no Mané Garrincha. Havia pedido para um amigo, que tinha um fã-clube dos Smiths em Brasília, comprar o ingresso e se hospedou na casa dele. "Aqui tem umas gangues, cuidado", alertou o brasiliense. "Não passa por aquele lado." Reginaldo seguiu os conselhos mas não escapou da confusão. Voltou a pé para a Asa Norte. Quando surgiu a idéia do Por Enquanto, ele ligou para Renato, querendo agendar uma entrevista que marcasse oficialmente a fundação do fã-clube. Depois de alguma insistência, o cantor topou: "Vem cá amanhã". E lá se foram Reginaldo e os amigos Dominique e Julinho. Na época, a Legião estava gravando o quarto disco, *As quatro estações*. No meio da conversa, afetando casualidade, Renato anunciou: "O Renato Rocha está saindo da banda". Como nenhum dos três acusasse o golpe, ele se espantou: "Vocês nem ligaram?!".

O baixista nunca superara — e nem estava muito interessado em superar — a condição de corpo estranho na banda. Ficava sempre calado, na dele. Renato ressentia-se disso, sobretudo durante as *jams* que acabavam acrescentando músicas ao repertório da Legião. Cobrava que ele se envolvesse mais no processo de composição e de arranjo. Mas, visceralmente punk, o outro pegava a corda mi e ia embora. Sempre curtira música mais pesada. Durante as gravações do lírico *As quatro estações* o seu desalinhamento com o projeto artístico chegou a um beco sem saída. Negrete estava morando num sítio em Mendes, Estado do Rio, e ou chegava atrasado ou faltava às gravações. Pressionava por uma rendosa turnê em Portugal, exigia adiantamentos para comprar novos carros e motos. Chegou a ter oito delas. O desgaste chegou a um ponto insuportável. "Você tá fora", comunicou Renato, na porta do elevador da EMI. "Eu não preciso de você para nada", respondeu-lhe Negrete. E foi embora. No fundo, o baixista achava que esse dia não chegaria nunca. Acreditava que desempenhava também um papel simbólico e conceitual na banda: era o negro que, com o lourinho e o moreninho, espelhava a diversidade étnica do Brasil. Não adiantava Rafael dizer-lhe que não era bem aquilo. "Era um bando de meninos chatos e mimados", diria o ex-baixista da Legião Urbana. "Sou pobre, filho de sargento. Vivia constrangido com pessoas que não tinham tesão pela vida, que tinham grana, iam num puta restaurante, numa puta roupa, mas de mau humor..."

Para os que ficaram, a saída de Negrete foi sentida de diferentes formas. "O Billy não acompanhou, queria mais aquela coisa rock'n'roll, não ter reunião na gravadora, com os advogados, com os procuradores", avaliaria Renato, cujo grau de exigência consigo mesmo e com os outros era implacável. Um de seus baixos, um MG Yamaha, foi esquecido por Negrete num táxi. Renato não conversou: cobrou-lhe as 800 libras. Dado lamentou a perda de um colega hipersensível, por mais que parecesse alheio a tudo. "Nós fizemos exaustivas sessões de psicanálise em grupo com ele", lembraria o guitarrista. "Botávamos ele numa cadeira e ficávamos, eu, Mayrton, Renato, Bonfá dizendo 'cara, você não pode fazer isso...' Mas ele, alucinado, praticamente se ejetou da banda." Marcelo sentiu-se aliviado. Embora ele mesmo tivesse convidado Negrete, quando Renato cortara os pulsos, cinco anos antes, percebeu que só conseguia tocar sua bateria com o cantor tocando baixo. "Foram anos sofridos os com o Negrete, nós não tínhamos afinidade musical nenhuma", diria. Com ele fora da banda, os três decidiram regravar tudo o que o baixista já tinha gravado. Por pirraça. Não ia sobrar nem um crédito para Negrete em *As quatro estações*. De qualquer forma, a partida do elemento *hardcore* da Legião naquele momento se adequava à virada em gestação desde a época de *Que país é este*. Quando "Faroeste caboclo" se tornou uma das mais pedidas nas FMs, Renato já dava pistas da mudança. "Tenho pavor de me repetir", disse. "Não estou a fim de falar de enchentes, Aids, governo. Quero cantar canções de amor, baladas íntimas, musiquinhas pra cantar junto. Já desisti de fazer músicas para salvar o mundo. Eduardo e Mônica estão divorciados."

Depois do faroeste caboclo no Mané Garrincha, o que era um desejo estético — suavizar a pegada poética e instrumental da Legião Urbana — tornou-se uma necessidade existencial. "Mais que aquilo em Brasília só pegando em armas", sintetizaria Rafael. A reflexão de Renato foi compartilhada com os leitores do *Jornal do Brasil* de 27 de junho de 1988, a segunda-feira seguinte ao tranqüilo show de Belo Horizonte. Nela, como se fosse necessário, o cantor se mostrava muito distante de um "emissário do Demônio". Lembrava mais uma criança assustada. "A gente pegou esse trem achando que ia pra Disneylândia e depois ele foi pra Auschwitz", disse Renato. "Eu queria era sexo, drogas e rock'n'roll." Às vezes, ele achava que não estava se expressando bem. "Ah, vocês sabem o que eu quero dizer..." Mas, jornalista que era, logo percebia que uma entrevista não pode dar margem a subentendidos: "O.k., eu tenho que falar com as minhas próprias palavras". Segundo elas, o estádio de futebol da capital presenciara "uma espécie de catarse coletiva, levada para um lado errado". Para Renato, todos haviam perdido o controle da situação naquela noite: os organizadores, a polícia, os espectadores e, por que não, a própria banda.

O flerte com o messianismo era um caminho que, diante da confusão e de suas conseqüências na mídia, parecia particularmente preocupante. "Um belo dia, o público vai descobrir que o seu ídolo tem pés de barro, e é uma coisa muito dolorosa porque messias não existem", alertava. Mas não estaria o próprio Renato bancando o salvador da pátria? Ele externava alergia à idéia — embora nos palcos ela se impusesse sedutora, como breve viriam a comprovar dois novos shows no Maracanãzinho, nos dias 14 e 15 de julho, abrindo o III Festival Alternativa Nativa — porque, na sua cabeça, e segundo todos os que o conheceram, seu único compromisso era consigo mesmo. "Eu gosto de acreditar que as pessoas compram [nossos discos] porque elas sentem e percebem que eu sinto e percebo exatamente aquilo que elas sentem e percebem", afirmava, tentando explicar sua popularidade. "Se eu realmente estivesse num caminho messiânico, teria controlado aquele show." Por via das dúvidas, ele anunciava uma correção na rota. Iria com menos sede ao pote dos shows, iria falar das mesmas coisas que sempre falara, mas através de canções de amor. Apesar de toda a pressão, Renato dava mostras de seu bom humor, uma característica que o estereótipo do poeta atormentado tentaria varrer para baixo do tapete nos anos por vir. Entre menções ao budismo e a Sócrates, ele brincava com suas próprias frases. "Eu não encontro respostas. No máximo, encontro um consenso. Porque as perguntas são as mesmas", dizia. Fazia uma pausa dramática, pensava e arrematava: "Eu falo umas coisas tão lindas, né?". Gargalhadas gerais no salão da cobertura da EMI.

Renato falaria coisas lindas em *As quatro estações*. Não sem sofrimento. O quarto LP teria um tempo de gestação compatível com tudo aquilo pelo qual a Legião Urbana passara, fosse o quebra-pau em Brasília, fosse o quase linchamento pela mídia, fosse a saída de Billy: 16 meses, entre concepção, gravação, regravação, mixagem e lançamento. Os três *legionários* remanescentes tiveram que parar e pensar direitinho no que fazer: mais que uma mudança musical, a situação pedia uma mudança conceitual. "Era para ser mais Byrds e menos Sex Pistols", explicaria Renato. Durante algum tempo, ele achou que não ia conseguir escrever e cantar. Estava numa crise autoral, das brabas. As músicas, no entanto, continuavam a ser compostas, à espera de letras. "Elas demoraram porque eu tinha que tirar Brasília do meu sistema", diria Renato, quando o disco fosse afinal lançado, no começo de novembro de 1989. Ele buscara respostas até indo assistir a um show que o trio norueguês A-Ha fizera na praça da Apoteose, em 10 de março. "Como a gente vai falar o que acha legal sem que as pessoas se matem, sem que nós nos matemos?", pensava, enquanto se espremia entre 40 mil adolescentes ensandecidas.

Então fez-se a luz. E Renato surgiu nos estúdios na EMI com temas mais espirituais e menos materiais: Buda, *Tao-te-king*, Jesus, São Paulo aos coríntios, Luís de Camões. "A gravação de *As quatro estações* foi o nosso calvário", diria Dado. "Mas foram os momentos mais criativos da banda em estúdio. Tínhamos coisas experimentais, como 'Feedback Song for a Dying Friend', com aquela letra shakesperiana do Renato, que depois foi traduzida para o português pelo Millôr Fernandes, com aquele trabalho de arranjos." O público não ficou insensível ao período de recolhimento da Legião, sentira a sua ausência. Quando *As quatro estações* foi lançado, 450 mil cópias já estavam vendidas por antecipação. O LP era incrivelmente sereno para ter sido gerado em tempos tão turbulentos. Trazia o melhor lote de canções pop que a Legião Urbana jamais registraria, apesar das referências religiosas e literárias, apesar da linguagem rebuscada, apesar da complexa letra em inglês, apesar das tinturas confessionais. "Não queria aquela angústia *joy-divisiana*, que leva ao suicídio", contou Renato no lançamento do disco, referindo-se a Ian Curtis, vocalista da banda de Manchester, que se suicidara a 18 de maio de 1980, aos 23 anos. "Tem que existir o caminho da iluminação, em que você não se destrói." Mesmo para Buda, porém, a iluminação havia sido um processo doloroso, passara pela constatação de que "Tudo é dor/ E toda dor vem do desejo/ De não sentirmos dor" (versos de "Quando o sol bater na janela do teu quarto"). Renato havia lido essa frase num livro, *A doutrina de Buda*, de um certo Bukkyo Dendo Kyokai, que fazia, junto com a lista telefônica da Telesp, parte do acervo dos quartos de um grande hotel em São Paulo. O exemplar liberava a citação e a reprodução de qualquer parte do texto, desde que o autor fosse creditado e uma cópia da obra derivada fosse enviada para um endereço do outro lado do mundo. No encarte de *As quatro estações*, Renato viajava: "Imagina! A gente pode até fazer sucesso no Japão! (Espero que eles gostem do disco)".

Não se sabe se o LP chegou por lá e, se chegou, o que acharam os japoneses. Mas no Brasil ele foi recebido de joelhos. *As quatro estações* começava com um pé-na-porta poético, o anti-épico "Há tempos": "Parece cocaína mas é só tristeza, talvez tua cidade/ Muitos temores nascem do cansaço e da solidão/ E o descompasso e o desperdício herdeiros são/ Agora da virtude que perdemos". E ia adiante, costurando plácidos climas acústicos com rompantes de ferocidade elétrica, sustentados por Dado e Marcelo, com Renato tocando violão, baixo, teclados, cantando, fazendo pensar em Santa Teresa de Ávila, dilacerada entre paixões terrenas e paixões celestiais. "Quando não estás aqui/ Tenho medo de mim mesmo/ E sinto falta do teu corpo junto ao meu", dizia "Sete cidades". "Cordeiro de Deus que tirai os pecados do mundo/ Tende piedade de nós/ Cordeiro de Deus que tirai os pecados do mundo/ Dai-nos a paz", rebatia "Se fiquei esperando meu amor passar", cuja citação litúrgica ecoava a que "Monte Castelo" fazia à *Epístola de São Paulo aos coríntios*: "Ainda que eu falasse a língua dos homens/ E falasse a língua dos anjos,/ Sem amor eu nada seria./ É só o amor, é só o amor/ Que conhece o que é verdade". Essa balada que incorporava Camões seria música de muito casamento Brasil adentro.

As quatro estações também traria, pela primeira vez, uma música na qual Renato falava abertamente de sua opção sexual, "Meninos e meninas". Se antes, em "Soldados" ou em "Daniel na cova dos leões", havia referências veladas ao homossexualismo, aqui tudo era tratado às claras, sem culpas ou medos. "Acho que gosto de São Paulo/ E gosto de São João/ Gosto de

São Francisco/ E São Sebastião/ E eu gosto de meninos e meninas./ Vai ver que é assim mesmo e vai ser assim pra sempre/ Vai ficando complicado e ao mesmo tempo diferente", cantava Renato, alinhando o carnal ao divino, para, no fim, arrematar, à moda budista (ou *george-harrisoniana*): "São tudo pequenas coisas/ E tudo deve passar". A faixa que precedia "Meninos e meninas" no disco, "Maurício", também versava mais ou menos sobre o mesmo assunto. Era uma dolorida canção de (des)amor, que Renato dizia fazer referência, no nome, a um fã entrevado de Santa Maria, Rio Grande do Sul, e no conteúdo, a um caso que ficara pelas estradas da vida. Nela, outra vez, o abandono dava lugar a um sentimento devastador: "Me sinto tão só./ E dizem que a solidão até que me cai bem".

Renato aproveitou uma entrevista de divulgação de *As quatro estações*, concedida numa suíte do hotel Caesar Park, em Ipanema, para falar abertamente sobre alguns temas que sempre evitara, tanto por temer se expor demais quanto por temer influenciar os fãs. "É horrível citar Saint-Exupéry mas você é responsável por tudo o que você cativa", dizia, quase se desculpando. "Feedback Song for a Dying Friend", cuja letra fora escrita em 1985, antecipava o pesadelo da Aids e, ao ser lançada naquele momento, estabelecia ligação direta com a morte em público de Agenor Miranda Araújo Neto, o Cazuza, soropositivo que decidira transformar a doença numa declaração política. "Era importante como artista eu me posicionar sobre isso", declarou Renato, impressionado com o exemplo do colega. "Sejamos honestos: há uma relação homossexual na música."

Incluída no encarte, a tradução de Millôr Fernandes — um dos seus ídolos — para os versos não deixava margem à dúvida: "Alisa a testa suada do rapaz/ Toca o talo nu ali escondido/ Protegido nesse ninho farpado sombrio da semente". De frente para a praia de Ipanema, Renato ia mais longe, recusando-se a fingir que, para citar Cazuza, seu prazer não havia se transformado em risco de vida: "Estou nos grupos de risco. Só não sou hemofílico. Não quero ser o mártir da causa gay. O preconceito vem do desconhecimento, do medo". Alguns anos mais tarde, pensando na saída pública do armário, ele diria que aquele havia sido um momento de inflexão na sua vida, como pessoa e como cidadão: "O artista tem essa pecha de ser um pouco louco, o artista pode... Olha, juro para você, eu ia estar sendo um bobo se eu não aproveitasse a minha situação para tentar descarregar um pouco da culpa, da minha vida, de vergonha, de situações que eu vivi. Eu cheguei à conclusão: 'É babaca eu estar enganando as pessoas.' Poderia ter me resguardado. Mas não ia fazer um escarcéu em cima disso, não virei nenhum Jimmy Sommerville". Referia-se ao cantor inglês de voz agudíssima, do Bronski Beat e dos Communards, prosélito da causa gay.

As quatro estações também colocava na boca do povo uma canção chamada "Pais e filhos". Renato queria ainda agradecer à sua família, que já sabia do seu homossexualismo havia dez anos. "Eles sempre me deram muita força e olha que eu sou uma pessoa difícil", disse, referindo-se tanto aos pais, em Brasília, quanto ao núcleo em torno de tia Socorrinho, na Ilha do Governador. "Não sou exatamente normal, bebo muito, faço rock'n'roll, sou pansexual. E eles me respeitam numa boa." Os versos da música catavam fragmentos de cenas e conflitos familiares ("Ela se jogou da janela do quinto andar", "Posso dormir aqui com vocês?", "Eu moro na rua, não tenho ninguém" etc.) que se resolviam e ganhavam sentido num final redentor, quase uma prece: "Sou uma gota d'água/ Sou um grão de areia./ Você me diz que seus pais não entendem/ Mas você não entende seus pais./ Você culpa seus pais por tudo/ E isso é absurdo/ São crianças como você./ O que você vai ser/ Quando você crescer?". Ajudava na sua compreensão o fato de que, desde março daquele ano, o próprio Renato havia se tornado pai, o que a letra também mencionava, cifradamente: "Meu filho vai ter nome de santo/ Quero o nome mais bonito./ É preciso amar as pessoas como se não houvesse amanhã/ Porque se você parar para pensar, na verdade não há." O nome de seu filho era Giuliano. Renato tratou o assunto com discrição e carinho. "Sobre isso eu não falo" era uma frase habitual. Quando Giuliano estava com 1 ano — e Renato estava preparando a mudança para o apartamento da rua Nascimento Silva, mudança protelada por conta do confisco da poupança pelo Plano

Collor — foi ser criado por seu Renato, dona Maria do Carmo e Carmem Teresa. O cantor sentia muita saudade do filho mas achava importante, dada sua vida crescentemente desregrada, que ele contasse com a segurança de Brasília. Más notícias estavam a caminho.

FLAVIO COLKER

ISSO AQUI ESTÁ UMA LOUCURA!

Rafael Borges trancou-se num banheiro para rir. Ele tinha ido visitar Renato e encontrou a clínica em Botafogo na maior agitação. Corriam para lá e para cá bombeiros, médicos, enfermeiros, internos. Era um princípio de incêndio, com direito a escada Magirus e tudo. Uma senhora, paciente conhecida de Rafael de outras visitas, passou pelo empresário da Legião Urbana e falou, como se fizesse uma confidência: "Isso aqui está uma loucura!". Daí o riso incontido. Quando se recompôs, Rafael foi procurar Renato. Encontrou-o satisfeito consigo mesmo. Ele havia botado fogo na clínica. Era sua forma de protestar contra a proibição de tocar violão para os outros pacientes na festinha de fim de ano. Era sua forma de fazer pressão para passar o Natal de 1990 com os pais. Daí o fogo. Deu certo. A clínica preservou-o no boletim de ocorrência. E, no dia 24 de dezembro, liberado, Renato foi feliz da vida para Brasília. Afinal convencido por Rafael e pela família, ele havia se internado para se desintoxicar. Na época, enquanto seu apartamento estava em reformas, o cantor estava morando no Sheraton. Estava bebendo ainda mais que o habitual, estava tomando ainda mais remédios que o habitual, estava ainda mais tenso que o habitual. Volta e meia incendiava algum lugar de tanta agitação. A causa? Renato estava preocupado com sua saúde. "Ele tinha certeza que tinha Aids", contaria Rafael.

Talvez por isso, quando recebeu — ainda internado na clínica — o resultado do exame indicando a presença do HIV em seu sangue, Renato tenha tido uma reação, se não conformada, fatalista. De qualquer forma, parecia-lhe uma condenação, muito cruel, que sua procura por Eros tivesse trombado daquele jeito com Thanatos. Achou que estava tudo acabado, já naquele momento, e começou a dar instruções para o empresário encaminhar as coisas após a sua morte. Rafael não moveu uma palha nesse sentido e deixou o choque ser absorvido. Havia se submetido ao teste junto com Renato, como uma forma de tranqüilizá-lo e de incentivá-lo a tirar aquilo da cabeça. "Não dava para continuar naquela tensão, era preciso ter certeza de uma coisa ou de outra", diria Rafael. No fundo, ele esperava que tudo não passasse de uma paranóia de Renato. Quando veio o resultado que ambos temiam, combinaram segredo. Ninguém assistiria a um repeteco do martírio público de Cazuza. Embora o admirasse, Renato decidiu conduzir-se de maneira distinta. Assim, praticamente até a sua morte, quase seis anos depois, o segredo sobre a sua doença foi mantido. Ou, ao menos, os boatos periódicos nunca foram muito adiante. Sobretudo porque pouquíssimas pessoas sabiam da verdade. O pai, Rafael, Dado, Marcelo, Denise Bandeira. A amiga foi informada pelo próprio Renato, diante dela desesperado. "Logo que teve o resultado do exame ele me ligou", lembraria Denise. "Estava péssimo, é claro. Mas precisava desabafar. E me pediu segredo absoluto. Mas, curiosamente, depois de uma temporada de muita angústia e desespero, ele começou uma fase, digamos, meio mística, que resultou num verdadeiro renascimento profissional e artístico. Foi a fase em que o vi melhor com a vida."

No dia 7 de julho de 1990, o dia em que Cazuza morreu, a Legião Urbana tinha agendado um show na chamada Jockey Club Arena, nada mais nada menos que o próprio Hipódromo da Gávea, transformado num vasto espaço de 23 mil metros quadrados para shows como aquele, da banda de rock mais popular do país, que não se apresentava na cidade desde o III

Festival Alternativa Nativa, em julho de 1988. Antes de Renato, Dado e Marcelo somente o maestro Tom Jobim havia tocado naquelas raias. O concerto carioca estava estrategicamente posicionado no meio da turnê nacional de *As quatro estações*, depois da perna Sul-Sudeste (que incluía o interior do Estado de São Paulo, cuja capital veria dois shows somente nos dias 10 e 11 de agosto, no Palestra Itália, estádio do Palmeiras, dois shows que renderiam o álbum póstumo *As quatro estações ao vivo*, de 2004) e antes da perna Norte-Nordeste. Quarenta mil ingressos foram postos à venda, mas a afluência descomunal obrigou os organizadores a abrirem os portões. Assim, quando Renato subiu ao palco, perto das 22h, estimava-se que 60 mil pessoas o viam, ou diretamente, ou num dos telões. Entre elas estavam o jornalista e produtor Ezequiel Neves e o guitarrista Roberto Frejat, parceiros do roqueiro que havia sido enterrado naquela tarde. Também estava lá Robert Scott Hickmon, americano de São Francisco que havia desembarcado no Brasil no dia anterior. Renato o conhecera numa viagem que fizera aos Estados Unidos, pouco depois do lançamento de *As quatro estações*. Entre idas e vindas, os dois ficariam juntos por dois anos, boa parte deles no Rio de Janeiro.

Esperava-se que Renato fosse homenagear Cazuza. E ele não frustrou essa expectativa. "Eu vou entrar primeiro, vou falar umas coisas, vocês vão entrando e atacam", foi tudo o que disse ao pessoal no camarim. Além de Dado e de Marcelo, havia três músicos de apoio: nos teclados, Maurício Magalhães de Carvalho, o Mu, ex-Cor do Som; nos violões, Alfredo Nascimento, o Fred, ex-Rosa Púrpura; e, no baixo, Bruno Araújo, ex-Lobão. Ninguém sabia o que Renato pensava em fazer. E lá foi ele, traçar paralelos sob a lua cheia de inverno. "Oi, eu sou o Renato. Signo de Áries, mais ou menos 30 anos. Gosto de Billie Holiday e Rolling Stones. Gosto de beber pra caramba. De vez em quando um milk-shake. Gosto de meninas, mas também gosto de meninos. Todos dizem que sou meio louco. Sou roqueiro, um letrista, mas alguns dizem que sou poeta." Aplausos entusiasmados. Renato foi adiante: "Ele, signo de Áries, mais ou menos 30 anos. Ele gosta de Billie Holiday e Rolling Stones. Ele é meio louco, gosta de beber pra caramba. Cantor e um grande letrista. Eu digo: ele é um poeta. Todos da Legião gostariam de dedicar o show ao Cazuza". A banda atacou "Há tempos": "Parece cocaína mas é só tristeza, talvez tua cidade...". E a cidade de Cazuza, morto aos 32 anos naquela manhã, em Ipanema, veio abaixo.

Por duas horas e pouco, a Legião Urbana desfilou as músicas de seus quatro discos, mas, para marcar bem a distância entre o estado de espírito de *Que país é este* e o de *As quatro estações*, deixou de fora a tonitruante música-título daquele e faixas explosivas como "Tédio (Com um T bem grande pra você)". Ainda assim, perto do encerramento do show, depois de Renato citar "Faz parte do meu show" e "Blues da piedade", ambas de Cazuza, na introdução de "Soldados", estourou uma guerra de areia entre turminhas que, ainda antes de o espetáculo começar, haviam invadido a raia originalmente destinada à imprensa e aos convidados da banda. O palco ficou coberto de areia. Renato ficou furioso e ameaçou não voltar para o bis. Acabou voltando. Mas, nos bastidores, escaldado pelo Mané Garrincha de dois anos antes, berrava: "Eu não vim dar um show para animais!".

As reações imprevisíveis das platéias nunca tinham sido levadas em conta, como uma variável, na maneira bem equacionada de a Legião Urbana conduzir sua carreira. Renato gostava de ter a trajetória do Led Zeppelin como exemplo. Nada era gratuito. A banda não banalizava suas apresentações e só as fazia se elas pudessem se encaixar num projeto artístico que visava à preservação da obra a longo prazo. Para tocar num festival como o Hollywood Rock, por exemplo, que misturava artistas nacionais e estrangeiros na praça da Apoteose, Renato, Dado, Marcelo e Rafael pensavam duas vezes. E aí, depois de ter pensado uma terceira vez, recusavam a proposta. Mesmo fechando uma noite, sem servir de escada para alguma atração internacional, mesmo tendo garantido tratamento técnico igual ao dispensado aos gringos. "Não era por ser uma marca de cigarro, mas porque Hollywood era um produto comercial forte", explicaria Rafael. "Nós não queríamos estar a serviço de um projeto que não fosse o nosso próprio." Nesse contexto, era curioso que de vez em quando algum papai abonado chegasse até o empresário propondo que a Legião Urbana tocasse na festa de 15 anos de sua filha e fã. A integridade da banda, naturalmente, apenas aumentava o mito que já a cercava e, em particular, a Renato Russo.

Aquele menino obstinado que dissera aos pais que ia ter o grupo de rock mais famoso do Brasil ainda era entrevisto por muita gente que o conhecia havia mais ou menos tempo. "Se o Renato tinha antecipado isso tudo, eu não sei, porque ele nunca me disse", refletiria Fê Lemos, único fundador do Aborto Elétrico vivo. "Mas me lembro de uma conversa em 1986 na qual ele me falou: 'Fê, que bom que nós temos uma banda de rock, né?' O Renato sempre quis experimentar tudo e sempre foi extremamente competitivo. Talvez, quando percebeu que sua palavra tinha se tornado lei, ele tenha trabalhado mais duro ainda para não deixar dúvidas de que ele era o maior, e o seria para sempre." Fred Nascimento, o violonista de apoio na turnê *As quatro estações*, conhecia Renato havia muito menos tempo que Fê, mas tinha uma impressão parecida: "Ele se amava, ele amava aquilo tudo". Fred era três anos mais velho que Renato, embora parecesse bem mais novo.

Além de ter jogado futebol entre os juvenis do Campo Grande, Fred era um músico completamente autodidata, daqueles que aprendiam a tocar uma música em minutos e um instrumento em dias. No final dos anos 70, depois de desistir do conservatório e de largar o emprego como balconista numa joalheria, ele havia se tornado músico profissional tocando com o *country* Renato Terra, do sucesso "Bem-te-vi". No final dos anos 80, outro Renato, o Russo, se apaixonara por seu trabalho no Rosa Púrpura, duo meio funk que havia fundado com o tecladista João Paulo Mendonça. Renato gostara particularmente do *hit* "Chuva de mel", que botara o Rosa Púrpura para tocar até no disputadíssimo programa de TV *Globo de Ouro*. Tempos depois, ele confidenciaria a Fred que "Chuva de mel" era a "música mais gay" que já tinha ouvido. Os dois se conheceram e ficaram amigos de infância numa única noite de novembro de 1989. De moto, a caminho de Búzios, Fred passara numa festa na Barra para dar um abraço no seu organizador, Sérgio Lemos. Sua namorada encontrou e ficou dançando com uns conhecidos, todos muito doidos àquele altura do campeonato. Meio chateado, o guitarrista viu um sujeito parado, sozinho, em pé, de braços cruzados, num canto escuro da sala. Fred se aproximou, reconheceu-o e perguntou: "Você não é o Renato?". O outro deu-lhe uma meia patada: "Sou. E essa festa tá um saco!". Fred disse que concordava, que sua namorada estava prendendo ele ali etc. etc. e se apresentou: "Oi, eu sou o Fred, do Rosa Púrpura". Renato foi desarmando o espírito: "Oi, que legal! Você fala tanto de você mesmo! Você é a coisa mais legal dessa festa!". Ficaram ali, conversando. Renato contou que estava indo para os Estados Unidos. Combinaram de se falar. Antes de embarcar, Renato ainda ligou para Fred, dando força para que o Rosa Púrpura não acabasse (a namorada modelo de Mendonça estava indo morar no Japão, e o tecladista ia atrás dela).

Enquanto Renato estava fora, outra coincidência aproximou Fred da Legião Urbana. Seu irmão Waldyr, conhecido como *Pangaré*, era um respeitado mecânico de motos na loja Mar&Moto. Ajustava as máquinas de meio mundo, inclusive o artístico, inclusive as de Renato Rocha. Uma noite do Baixo Leblon, Negrete pediu que Fred intercedesse por ele junto a Renato Russo. Queria voltar para a banda, disse que o ocorrido na virada de 88 para 89 não passara de um mal-entendido. Anos depois, o baixista negaria essa versão, dizendo que, muito pelo contrário, havia era esperado em vão por um pedido de desculpas dos outros três. Fred não sabia o que fazer, não tinha tanta intimidade assim com Renato. No dia seguinte, porém, ao chegar em casa, o guitarrista encontrou um recado do seu mais novo amigo de infância na secretária eletrônica: "Oi, Fred, aqui é o Renato, estou aqui em São Francisco, uma loucura, fui numa festa com um cara que tinha levado uma cobra...". Dias depois, ligou de novo. "Eu tou pensando em fazer uns shows com a Legião", disse a Fred. "Ao vivo a gente vai precisar de músicos de apoio. Você tá a fim?" Na hora, tanto quanto a felicidade pelo convite, ele pensou no inusitado da situação, pensou que ia acabar tomando uma porrada de Negrete, caso Renato se negasse a acolher o baixista novamente.

Foi o que aconteceu. Quando Renato voltou ao Brasil, Fred transmitiu-lhe o recado. "Não tem condição", disse o cantor. O pacífico Negrete, porém, levou na boa o alistamento do guitarrista. Aliás, guitarrista não. Violonista. Dado não queria uma segunda guitarra na banda. Então, num estúdio na Barra da Tijuca, reuniram-se os membros da Legião Urbana e os três músicos de apoio que, meses adiante, estariam no palco da Jockey Club Arena. Fred, Bruno e Mu chegaram com uma recomendação expressa de Renato: saber de cor e salteado todo o repertório da banda. Cada músico tinha ainda que passar por um aprendizado paralelo, familiarizando-se com as referências dele e, portanto, com o que ele pensava para a banda. Para isso, Renato dava discos de presente: Bruno, por exemplo, ganhou o LP *The Velvet Underground & Nico* (aquele da famosa banana de Andy Warhol) de 1967. Fred ficou com uma cópia importada em vinil de *Pet Sounds*, disco dos Beach Boys de 1966. No estúdio, puseram-lhe o violão Yamaha de Renato nas mãos e pediram que ele os acompanhasse em "Há tempos". Renato perguntou o que Dado tinha achado. Dado disse não ter dúvidas. "Então, Alfredo, sinta-se bem-vindo à Legião Urbana", saudou Renato.

Ainda no período de ensaios uma bomba caiu sobre a cabeça de todos os brasileiros. Um dia depois da posse de 15 de março de 1990, o presidente Fernando Collor de Mello congelou por 18 meses todas as contas correntes, cadernetas de poupança e aplicações financeiras de valor superior a 50 mil cruzados novos (ou 1.250 dólares). O pretexto era acabar com a inflação com um tiro só. Renato ficou transtornado. O pacote econômico afetava diretamente seu plano de comprar um apartamento. "Essa Zélia acabou de confiscar tudo!", comunicou aos outros depois de receber um telefonema de Rafael. "Tá tudo bloqueado, o dinheiro do meu pai, do meu avô..." Havia até dúvidas se seria possível ou não realizar a turnê. Quem o visse seria capaz de desconfiar que ele havia votado em Collor, tal o sentimento de traição que o assaltou. No entanto, na época da eleição ele havia manifestado o desejo de votar em Roberto Freire, candidato do PCB. A desilusão se dava em outro nível. Renato sempre tendia a acreditar nas boas intenções das pessoas. Fora assim com o presidente José Sarney, anos antes.

No final das contas, a excursão de *As quatro estações* foi iniciada, em abril, pelo Triângulo Mineiro. Os novatos do apoio foram avisados para ficarem de olho no que vinha da platéia, pois garrafas voadoras não eram incomuns nos shows do grupo. Às vezes, porém, o coquetel molotov era aceso no próprio palco. No ginásio poliesportivo de Poços de Caldas, por exemplo, Renato cantou uma música e meia, caiu no chão e voltou para os bastidores. Dado e os outros improvisaram uma música instrumental. Conforme a encheção de lingüiça se esgotava e o cantor não reaparecia, o guitarrista foi ver o que tinha acontecido. Encontrou-o estirado num sofá, passando mal, acudido por Rafael. Dado imediatamente entendeu que não havia condições de o show continuar. "Cara, agora, pro hospital, já", disse. Um carro encostou na porta do camarim e lá se foram para o pronto-socorro. Renato estava com pressão 21 por 18. Diagnóstico: uso excessivo de cocaína. O público manifestou sua frustração com o show interrompido depredando o ginásio. Para evitar esse tipo de incidente — potencializado pelo clima deprimente da vida em hotel, cada dia uma cidade diferente —, a Legião nunca passava muito tempo na estrada. A banda viajava com mulheres e filhos, tocava e voltava para o Rio voando. Apenas uma vez todos passaram três semanas seguidas no Nordeste, pois queriam aproveitar as praias.

Depois do show no Hipódromo da Gávea, em julho, Ezequiel Neves foi convidado a acompanhar a banda em algumas datas da turnê. A idéia era distraí-lo e ajudá-lo a superar a morte de Cazuza. Depois de assistir a uma das performances típicas da Legião, intensas que só, ele foi agradecer a oportunidade a Renato e aos outros. "Isso é tão litúrgico! Parece uma igreja", emocionou-se. Numa outra noite, em Belo Horizonte, quem apareceu de surpresa foi Arnaldo Baptista. Não houve canja e o gênio dos Mutantes ficou apenas conversando com Renato nos bastidores. No entanto, o principal encontro da excursão de 25 shows era mesmo o da banda com os fãs. Durante as duas noites de agosto no Parque Antártica, em São Paulo, a Legião Urbana reuniu um total de 80 mil pessoas. Era um feito ainda mais notável porque Renato, Dado e Marcelo estavam fora de boa parte da mídia. Não falavam, por exemplo, nem com a *Folha de S.Paulo* nem com a *Veja*. Na capital paulista, excepcionalmente, a música de abertura do show foi "Fábrica" e não "Há tempos". Na colcha de retalhos ao vivo *Música p/ acampamentos* — álbum duplo que sairia no final de 1992, em parte para aliviar a pressão da EMI por uma antologia — a primeira faixa seria justamente a "Fábrica" de uma das noites, não-especificada, no campo do Palmeiras. Dava para ouvir o público cantando em êxtase, era emocionante. Quando acabou a excursão, Renato caiu em si, nunca tinha pensado no quão ele, Dado e Marcelo tinham se tornado unidos. "A Legião era maior que a gente", diria. "Não éramos amigos. Eu não falava com os caras, ficava trancado lá na Ilha do Governador, fazendo minhas coisas."

Então, no final de 1990, veio a internação e, dentro dela, a descoberta da Aids. Mas se a vida estava fadada a ser breve, a arte seria longa. "Renato era um artista 24 horas por dia", diria Rafael. Logo ele se reergueu e começou a reprocessar tanta informação. Em janeiro de 1991, para espairecer e pensar no que fazer da vida, assistiu a alguns shows do festival Rock in Rio 2, realizado no Maracanã, entre os dias 18 e 27. Até ali os discos da Legião Urbana obedeciam a um ciclo, sístoles e diástoles, altos e baixos, de certa forma associados ao estado de espírito de Renato. Dessa forma, *Legião Urbana* tinha sido um disco para fora, político. *Dois*, para dentro, pessoal. *Que país é este*, novamente para fora, explosivo. *As quatro estações*, outro disco para dentro, sereno. Por isso, seria mais ou menos lógico que o quinto disco fosse de novo para fora, político, explosivo. O álbum que emergiria das brumas da Era Collor e da Aids, contudo, seria um drible nessas expectativas. Produzido por Mayrton Bahia e pela banda, *V* conseguiria a proeza de ser conceitual (mesmo sucedendo a um disco que emplacara nada menos que seis de suas 11 faixas como *hit singles* nas rádios), de ser pessoal (mesmo refletindo a política de terra arrasada da República de Alagoas) e de ser político (mesmo se referindo pouco implicitamente à terra de ninguém das drogas).

Como era de se esperar, compor *V* não foi fácil. Como qualquer outro disco da Legião ele começou a ser composto num estúdio, com Renato, Dado e Marcelo transformando improvisos em músicas, com Renato letrando essas músicas e transformando-as em canções. Nem toda a melancolia da banda, entretanto, vinha do letrista. "O *Bonfas* me traz umas melodias dessas e eu que levo a fama de deprimido!", brincava, em algumas ocasiões. O baterista de fato gostava demais de rock inglês para conseguir sair festejando o que quer que fosse. "Eu nunca consegui ouvir Earth, Wind & Fire", exemplificaria Marcelo. Trancados numa sala na Barra da Tijuca, instrumentos plugados, microfones levando tudo para uma mesa de som, foi ele que teve um ataque antieletrônica. "Todo dia eu tinha que chegar e equalizar a bateria", lembraria. "E a coisa se desvirtuava, porque não era mais o mesmo timbre. Era a minha bateria, que é um instrumento primitivo e em cada lugar que vai tem um som, passando por um microfone, um fio..." Era abstração demais para ele. Marcelo se levantou, desconectou tudo, inclusive os instrumentos dos pasmos Dado e Renato, virou-se para os dois e desafiou: "Toca agora, quero ver tocar! Quero ouvir aqui, não consigo fazer nada, tou ficando louco". De vez em quando, nem isso era bastante. "Renato era tão intenso que eu precisava sair dali, pegar onda, fumar unzinho", contaria Marcelo. Todos estavam tensos.

O clima ficava pesado não somente por conta de problemas extramusicais — fossem eles pessoais ou nacionais —, mas também pelas pressões próprias do jogo fonográfico. Afinal, *V* seria um disco com a responsabilidade de substituir, junto aos fãs e à crítica, o arrasa-quarteirão *As quatro estações*. Como de hábito, a banda tinha pavor de se repetir. "Foi um momento difícil, a música era difícil", lembraria Renato. "Se a gente fizesse outro *As quatro estações* tava fodido..." Portanto, o novo disco, o primeiro a sair direto em CD, foi meticulosamente concebido para causar estranheza, não só à primeira, como em qualquer outra audição. "O disco é muito lento, modorrento de propósito", explicaria o cantor. No encarte, depois da ficha técnica que incluía o baixista Bruno Araújo, duas frases davam a pista para o entendimento de *V*. Uma fora dita pelo *stone* Brian Jones em 1967: "Such psychic weaklings has Western civilization made of so many of us" (Tais fracos de alma a civilização ocidental fez de tantos de nós). A outra era do trio mesmo: "Bem-vindo aos anos 70!". A primeira explicava a desolação que perpassava o disco mesmo em seus momentos mais serenos. A segunda fazia referência aos seus principais ganchos sonoros: passagens acústicas de rock progressivo, rompantes de hard rock. "É claro, é um disco muito pretensioso", diria Renato. "Mas eu gosto: para mim são as melhores letras, longe." Na obra da Legião, *V* era o seu disco favorito — bem como o de Marcelo Bonfá. Dado preferiria *As quatro estações*, até pela via-crúcis que foi concebê-lo.

Em *V*, mais do que em qualquer álbum da Legião, Renato logrou escrever músicas atemporais, perenes. "Eu me preocupo em fazer um texto que daqui a duzentos anos, se a pessoa pegar, não vai precisar de nota de rodapé", explicaria. "O que implica que 'Há tempos', por exemplo, 'Disseste que se tua voz tivesse força igual/ À imensa dor que sentes/ Teu grito acordaria/ não só a tua casa/ Mas a vizinhança inteira', pode ser numa vizinhança *hi-tech* em Nagóia, Osaka, ou pode ser Vila Rica. Isso foi uma coisa com que sempre me preocupei, uma coisa que aprendi com Drummond e Pessoa, não querendo me comparar, é claro." No quinto disco, embora as letras estivessem firmemente ancoradas na realidade do país e na vida pessoal de Renato, o ouvinte pôde fruí-las sem ter consciência disso. Nunca como na obra-prima "Metal contra as nuvens", uma suíte em quatro partes e mais de 11 minutos, Renato havia soado tanto como o cavaleiro romântico entrevisto por José Emilio Rondeau na fita demo de "Será". "Viajamos sete léguas/ Por entre abismos e florestas/ Por Deus, nunca me vi tão só/ É a própria fé o que destrói/ Estes são dias desleais", cantava Renato. No entanto, a música tinha um cenário muito particular. "Metal contra as nuvens" era sobre Fernando Collor. Versos como "Quase acreditei na sua promessa/ E o que vejo é fome e destruição/ Perdi a minha sela e a minha espada/ Perdi o meu castelo e minha princesa/ Quase acreditei, quase acreditei" explicavam a desilusão que Renato sentiu naquele estúdio da Barra da Tijuca, em 16 de março de 1990.

"Metal contra as nuvens", porém, não se restringia (como se isso fosse pouco!) à situação político-econômica do Brasil. Engenhosamente, Renato se colocava na música. Na terceira parte, havia o homossexualismo e a Aids: "É a verdade o que assombra,/ O descaso o que condena,/ A estupidez o que destrói". No final dela, como uma ponte para a placidez da parte quatro, estavam postados os versos "Não me entrego sem lutar —/ Tenho ainda coração./ Não aprendi a me render:/ Que caia o inimigo então". No final da suíte, luz no fim do túnel: "E até lá, vamos viver/ Temos muita coisa ainda por fazer./ Não olhe para trás —/ Apenas começamos". A própria música estava bem no começo de uma peça maior, de quase cinqüenta minutos de duração: o disco *V* por inteiro, em suas dez faixas. Antes dela, funcionando como uma introdução, a Legião colocara "Love Song", na verdade uma cantiga de amor do menestrel português Nuno Fernandes Torneol, do século XIII. A instrumental "A ordem dos templários" incluía "Douce dame jolie", do francês Guillaume de Machaut, do século XIV. A introdução de "O teatro dos vampiros" citava o famoso *Canon*, do alemão Johann Pachelbel, do século XVII. E a última faixa era "Come Share My Life", do folclore americano. Entre elas, aqui e ali, como em "O teatro dos vampiros", cacos da Era Collor: "Os meus amigos estão todos procurando emprego/ Voltamos a viver como há dez anos atrás/ E a cada hora que passa/ Envelhecemos dez semanas".

Mas ainda havia amor. "'O mundo anda tão complicado' é a música mais pedida em show", contaria Renato, anos depois do lançamento de *V*. "Chegam o menino e a menina pra mim e dizem: 'Ah, Renato, você fez a nossa música...'". Essa música se encerrava com linhas auto-explicativas mas nem por isso menos maravilhosas: "Quero ouvir uma canção de amor/ Que fale da minha situação/ De quem deixou a segurança do seu mundo/ Por amor/ Por amor". Era sobre (des)amor, ainda, que versava a música mais linda e triste do mundo, "Vento no litoral". Nunca uma caminhada à beira-mar havia sido tão cinza, tão dolorosa: "Aonde está você agora/ Além de aqui dentro de mim?/ Agimos certo sem querer/ Foi só o tempo que errou/ Vai ser difícil sem você/ Porque você está comigo o tempo todo". Havia, contudo, um terceiro tema recorrente em *V*. Em "A montanha mágica" — que Renato considerava "a melhor letra sobre drogas escrita em nossa língua" — dizia-se: "Minha papoula da Índia/ Minha flor da Tailândia/ És o que tenho de suave/ E me fazes tão mal". E em "L'âge d'or": "Já tentei muitas coisas, de heroína a Jesus/ Tudo o que já fiz foi por vaidade". "Era um disco todo sobre heroína", admitiria Renato. "Gravei o disco careta, as letras foram todas escritas quando eu já estava fazendo análise. Eu tive uma recaída foi depois." Quando *V* foi distribuído à imprensa, no final de 1991, vinha acompanhado de um *release* assinado por Ezequiel Neves. Sua frase final merece transcrição: "Só quero que tomem nota: o réquiem para este milênio já está definitivamente gravado".

378

NÃO SEPARA! NÃO SEPARA!

Estúdio 1 da EMI-Odeon, rua Mena Barreto, Botafogo, maio de 1992. A Legião Urbana estava se preparando para a turnê de lançamento do álbum *V*. Renato tinha uma concepção wagneriana para as apresentações ao vivo. Se ouvido em casa ele soava como uma peça única, nos ginásios do Brasil ele devia soar com uma ópera, uma ópera-rock, iniciada por "Metal contra as nuvens". Aquele estúdio enorme foi reservado por três meses e meio. Foram comprados os melhores equipamentos, de som, luz e efeitos. Foi bolado um cenário, com cortinas negras que abriam e fechavam. Foi contratado o iluminador Maneco Quinderé, ótimo interlocutor para o cabeça daquela operação. Cada nota que se tocava, cada *spot* que se acendia, tudo estava pensado e verificado por Renato. "Essa música tem que ter esse clima", orientava, referindo-se tanto aos aspectos sonoros quanto aos visuais. Se algo falhava, ele logo percebia. Eram ensaios gerais, eram para ser como se fossem para valer, com PA e tudo. Além disso, havia muito dinheiro envolvido na excursão. Por isso, a severidade da banda consigo mesma atingira estágios doentios.

Volta e meia, como era de se esperar, Renato, Dado e Bonfá batiam boca. Com eles, estavam Bruno Araújo, Fred Nascimento e algum dos tecladistas que substituíam Mu temporariamente. Entre os *roadies* agora estava

Reginaldo Ferreira da Costa, aquele fã do clube Por Enquanto que recebera em primeira mão a notícia da saída de Negrete, no começo de 1989, na casa da rua Maraú. Tempos depois, ele ouvira Renato no programa *Chá das Cinco*, da Transamérica FM: "Nunca deixe que as pessoas digam que seu sonho é babaquice". Reginaldo pensou: "Ei, é comigo!". E decidiu levar adiante o sonho de se tornar *roadie* da Legião. Encontrou Dado na inauguração da Rockit!, loja de discos que o guitarrista abriu com André Mueller no fundo de uma galeria na rua Bartolomeu Mitre, no Leblon. Depois de alguns meses, Rafael ligou para ele. Mas Reginaldo ia assessorar Renato e não Dado. "Tou ferrado...", assustou-se. "Ele tem fama de temperamental."

A barra realmente não estava leve. Renato às vezes chegava ao estúdio e avisava: "Gente, hoje eu não estou para brincadeira...". Todos respeitavam e cada um tratava de fazer bem a sua parte para não ficar na linha de fogo nas quatro horas seguidas que eles eram capazes de passar trabalhando em cima de apenas uma música. Os ensaios não eram mais meros ensaios, eram criação permanente. Um dia, os músicos de apoio chegaram mais cedo ao estúdio. Fred exortou-os a deixarem tudo nos conformes, passarem as músicas direitinho, para que os outros três, sobretudo Renato, não tivessem motivo para pegar no pé deles. "Pô, Fred, você até parece que é da banda...", sacaneou Bruno. "Não é isso, cara, é que onde a gente trabalha tem que estar tudo o.k....", explicou o outro. Ficou nisso. Logo chegaram os três *legionários*, tensos como sempre. Renato iniciou uma discussão com Bonfá mas logo voltou-se para o violonista. "Fred, por exemplo, seria pedir muito você chegar aqui e passar o seu violão?", criticou. Era justamente o toque que Fred havia dado nos outros dois. Quando ele foi se desculpar, Bruno pensou que ia ser dedurado ou coisa parecida e tentou interrompê-lo. Tirou o baixo e intimou-o: "Aí, mermão, vamos conversar lá fora". Fred entendeu como senha para saírem no braço. O instinto jacarepaguense de Fred avisou: é melhor dar a primeira porrada. E ele virou o violão em cima do baixista. Os dois se atracaram no chão do estúdio. Renato, que tinha horror à violência física, berrou: "Não separa! Não separa! Deixa os bofes se arrebentarem! Se eles quebrarem, eles pagam!". Quando acabou a briga, Renato se despediu de Rafael: "Então tá, Rafa, até nunca, hein?". Dado avisou: "O Renato não vai querer ver vocês nunca mais!".

Como resultado, Fred e Bruno foram banidos da banda. Fizeram o papel de bodes expiatórios daquelas energias negativas que eram entrevistas nas névoas do estúdio. Tentou-se até retomar os trabalhos, mas Renato foi taxativo: "Olha, eu não consigo tocar olhando para a cara daquele carinha e daquele carinha". Para ele, lembraria Rafael, "disciplina era de fato liberdade". Durante um bom tempo depois da briga, Renato ligaria no meio da madrugada para Fred e para Bruno, dizia apenas "tenha medo" e desligava o telefone. Os ensaios foram suspensos até que os defenestrados fossem substituídos, respectivamente, por Sérgio Serra, ex-Ultraje a Rigor, e Tavinho Fialho. Nos teclados, definitivamente no lugar de Mu, entraria Carlos Trilha, um catarinense de 22 anos que em 1989 tinha vindo para o Rio tocar com Leo Jaime. Para um sujeito de formação clássica fascinado por tecnologia, tocar naquela excursão da Legião Urbana era uma bênção. "Ela caiu do céu para mim e acho que eu também caí do céu para ela", diria Trilha. Com a superestrutura montada, ele encaixou perfeitamente o seu *set* de teclados, um M1 e um D50, por coincidência o mesmo usado na gravação de *V*. Se em Fred, um cara que ficava se distraindo antes dos shows tocando no violão "A Whiter Shade of Pale", do grupo progressivo inglês Procol Harum, Renato quase encontrara páreo para seu conhecimento colossal e instintivo de música, em Trilha ele reconheceu outro sujeito extremamente caprichoso. Seria com ele na produção que, um pouco mais adiante, Renato gravaria dois discos solo, *The Stonewall Celebration Concert* (1994) e *Equilíbrio distante* (1995), sem falar no póstumo *O último solo* (1997).

Com Serra, Fialho e Trilha, portanto, a Legião Urbana se pôs novamente na estrada em agosto de 1992. O que era para ser uma apoteose, porém, se transformou num sofrimento coletivo. Não que os concertos, sempre que possível realizados ao ar livre, não fossem bons. Além de a música de *V* ser a melhor que a banda já havia composto, além de as letras serem as melhores que Renato já havia escrito, a concepção cênica do espetáculo aproximava o show, mais que nunca, de uma experiência mística. Quinderé havia entrado na viagem de Renato e foi capaz de deixar uma mesma luz por três minutos, em vez de embarcar na histeria estroboscópia comumente associada a grupos de rock. "Me arrependo de não ter filmado", diria o ex-cineclubista Rafael. Surpreendia até os próprios membros da banda que aqueles shows se realizassem. Pois novamente Renato enveredara por uma fase perigosa. "Era muito triste ver que apesar da doença diagnosticada ele continuava a se autodestruir, bebendo, se drogando", lembraria Dado. "Isso era chocante, fazia muito mal a todos. Eu não agüentava mais, era insuportável a convivência. Nós conversávamos sobre isso, mas ele ou estava completamente alucinado ou completamente de ressaca, só nos dava patada." Mesmo sob o sol do Nordeste, Renato passava os dias bebendo. Bebendo pesado. Pegava um copo grande, como os de requeijão, enchia de licor Cointreau até a borda e tomava tudo de um só gole. Junto com a hora do show chegava a ressaca. Não era raro ele se assustar com os efeitos do porre e achar que ia morrer. Suas gengivas começavam a sangrar por causa do abuso do álcool e ele achava que estava tendo uma hemorragia interna, por exemplo. Às vezes, ele quase convencia o pessoal.

"Renato fazia shows belíssimos, apesar do Cointreau, apesar do Lexotan", se admiraria Rafael. O empresário se preocupava não só com sua saúde mas com seu estado de espírito porque identificava nele um comportamento comum aos grandes astros, não só os do rock, como Elvis Presley e Janis Joplin: "Milhões me querem mas eu estou sozinho em meu quarto". Era uma nova versão, negativa, do Trovador Solitário. Alimentava um círculo vicioso. Como Dado e Marcelo tinham suas próprias vidas, levavam suas famílias, aproveitavam as manhãs e tardes no Nordeste, ociosas, para fazerem pequenas excursões, irem à praia. Não se tratava mais de uma turma de adolescentes que fazem tudo juntos, em bando. Essa constatação envenenava o espírito de Renato. De certa forma, ele sentia inveja da vida social dos outros. Embora sua amiga Ana Paula Camarinha estivesse por perto, embora sua irmã Carmem Teresa também fosse assistir aos shows nos fins de semana.

Para não piorar as coisas, alguns incidentes eram escondidos de Renato. Na época, Sérgio Serra também bebia além da conta. Um dia, ele acertou uma cusparada num *roadie* de Dado, Bruno Maciel. Este não titubeou. Pegou o que estava por perto e bateu no ex-guitarrista do Ultraje. Era um violão Morris elétrico, pertencente a Renato. O instrumento se quebrou. Tudo foi abafado. De outros problemas, porém, o cantor não tinha como ser poupado. Em Natal, no simbólico 7 de Setembro, houve uma pane na eletricidade, não só do estádio como de toda a capital do Rio Grande do Norte. A mesa de luz queimou. E o show meticulosamente pensado teve que ser feito com todas as luzes acesas, brancas, na platéia inclusive. Ainda assim, no palco, Renato se superou e fez aquele que considerou o melhor show da turnê, dando ao público potiguar a mais terrível (no bom sentido) versão de "A montanha mágica". A banda ia junto, tocando versões com três ou quatro vezes a duração da gravação original. Na virada da noite, no entanto, a turnê *V* ia se desmilingüir.

"Você não faz um show daqueles impunemente", entenderia Rafael. Mas ali, naquele momento, foi terrível. Renato chegou cheio de adrenalina ao hotel, não conseguiu dormir e passou a noite inteira bebendo. Ao amanhecer, os outros músicos, que haviam conseguido botar a cabeça no travesseiro, se organizaram em passeios de jipe por Natal e cercanias. Saíram cedo, 8h ou 9h. Quando Renato chegou no bar à beira da piscina, descobriu que estava praticamente sozinho. E promoveu um quebra-quebra. Começou pelo equipamento de som. Rafael acordou e tentou contornar a situação. Em vão. Renato estava furioso, pois parecia entender os momentos de lazer como descaso profissional. Suas expectativas com a turnê eram maiores que as dos outros. Sua vida era aquilo. Ele era o artista em tempo integral. "Ah, é? Tá todo mundo gostando, tá todo mundo se divertindo?", era a postura. "Então acabou..." E assim a turnê *V* foi precocemente encerrada, deixando a ver navios cidades como Manaus e Belo Horizonte, datas já marcadas. "Ele se achou tão solitário, tão sozinho, que culpou a todos", contaria o empresário da Legião. "Achou que era tudo uma mentirinha, que falavam com ele mas não estavam ali, que não tinha para mais ninguém. Ele era o cara que botava aquilo na rua, o cabeça daquilo. E era o fim."

Para os fãs, o fim da excursão foi em parte compensado pelo lançamento do álbum duplo ao vivo *Música p/ acampamentos*, em meados de dezembro de 1992. Para a banda, o álbum foi uma maneira de recuperar o alto investimento financeiro feito na série de shows interrompida em Natal. Embora Renato, Dado e Marcelo não o vissem exatamente como um projeto artístico — o disco nem estava previsto em contrato, foi um adendo a ele e seu título era auto-irônico —, se envolveram de corpo e alma na seleção do material. Renato escolheu a ordem das faixas. Era uma boa maneira de manter a mente ocupada e a banda unida, produzindo o disco junto com Rafael. *Música p/ acampamentos* era dedicado a "Giuliano, Thayssa, Nicolau, Miranda, João Pedro, Thiago, Gabriel e todas as crianças". Como todo disco registrado em palcos diferentes, este também tinha um caráter antológico e desigual. Pegava alguns dos maiores sucessos da Legião Urbana ("Ainda é cedo", "Soldados", "Há tempos"), os misturava com *covers* ou citações ("Gimme Shelter", dos Stones, "Jealous Guy", de John Lennon) e incluía uma música tocada só por Renato nos estúdios da EMI-Odeon ("A canção do senhor da guerra"). Pegava gravações que iam da virada de 1984 para 1985 (caso desta última) até 11 de agosto de 1992 (quando a banda tocara "Música urbana 2" ao vivo nos estúdios da Rádio Cidade, do Rio de Janeiro), passando por cinco faixas ("O teatro dos vampiros", "Eu sei", "Índios", "Mais do mesmo" e "On the Way Home", de Neil Young nos tempos do Buffalo Springfield), do programa *Acústico MTV*, registrada em noite única, 28 de janeiro de 1992, numa casa de shows chamada Hippodromo, em Perdizes, São Paulo. Quase oito anos depois, essas cinco faixas reapareceriam no CD integralmente dedicado à apresentação no canal de televisão.

As gravações para a MTV ocorreram, portanto, antes de a banda se enfurnar no estúdio da Mena Barreto para ensaiar uma turnê *V*. Renato chegava a brincar com a platéia de convidados, dizendo que se eles não comprassem 250 ou 300 mil discos não ia haver shows. "Pô, gente, compra o disco, ajuda", apelava. Na verdade, ele tinha sérias dúvidas se deveria ou não sair em excursão. Vinha criando uma crescente resistência a apresentações ao vivo. Incidentes como os de Brasília e de Poços de Caldas contribuíam (e muito) para a ojeriza. Assim, talvez aquele *Acústico* — o primeiro de uma banda de rock brasileira, pois antes somente João Bosco merecera tal deferência — fosse a única forma de divulgação do quinto disco da Legião Urbana. Em relação ao disco desplugado, porém, outra resistência teve de ser vencida. "A gente ficava implorando pro Bonfá: 'Bonfá, pelo amor de Deus, é o primeiro *Acústico MTV* nacional...", lembraria Renato, dois anos depois da gravação, imitando a voz do baterista: "Eu não quero tocar pandeiro". O show, contudo, foi gravado, apenas dois violões e uma bateriazinha aqui e ali, nada de especial, nem em termos de arranjos nem em termos de convidados. Só os três no palquinho. Se era para gravar um *Acústico*, a Legião ia mesmo descarnar suas músicas até o essencial: melodias bonitas e singelas sustentando uma voz poderosa.

Pelos técnicos terem deixado as fitas correrem o tempo todo, entre uma faixa e outra *Acústico MTV* trazia polaróides do Renato Russo mais bem-humorado. Ele explicava o roteiro do show, recomendava "safe sex or no sex at all", pegava no pé de um rapaz que assobiara para ele na platéia, menosprezava as próprias músicas de três acordes ("Se vocês quiserem tocar todas as músicas da Legião é só saber isso aqui, ó..."), imitava a cantora Simone (que gravara "Será") e elogiava Cássia Eller (que fizera o mesmo com "Por enquanto"). Sua declaração mais interessante, contudo, dizia respeito à plena consciência do que Legião, Paralamas, Titãs, Barão, RPM e demais colegas de geração 80 haviam feito pelo rock brasileiro, aumentando-lhe a popularidade: boas letras em português. Na hora de anunciar um lote de *covers*, que fundia "On the Way Home" de Neil Young a "Rise" do amado PiL, metia o "Head on" do Jesus & Mary Chain antes do "The Last Time I Saw Richard" de Joni Mitchell, Renato dava uma ligeira esculachada nos grupos brasileiros que nos anos 90 haviam cismado de cantar em inglês. Só livrava a cara do Sepultura. "A garotada que tá começando banda nova, hoje eles só cantam em inglês, sabia?", dizia, emulando a voz de um garotão *ixperto*, 20 anos de praia. "A gente gosta de cantar em português. Mas a gente sabe cantar... Criar em inglês eu acho meio esquisito. [...] Quando você canta em português dá para ter a certeza de que as pessoas tão entendendo tudo que você tá falando. E quando você canta em inglês parece que tá cantando sozinho."

Seria quase irônico que, nesse contexto, o grande sucesso popular do disco afinal lançado em 1999 fosse uma música que ele só se arriscara a cantar por acreditar piamente que não estava sendo gravado: "Hoje a noite não tem luar", versão de Carlos Colla para o original "Hoy me voy para México", dos Menudos. "Quase" porque, na mesma entrevista de 1987 em que anunciava a (curta) pausa para reflexão antes de *Que país é este*, Renato falava no temor de incluir a frase "eu te amo" numa canção por achar que iam confundi-lo com... os Menudos. Ele já estava pensando nisso. Agora dizia aos espectadores: "É cafona... Mas é bonito". Era mesmo. Renato tinha talento para pegar músicas banais e transformá-las em clássicos. Como seus álbuns solo viriam a comprovar.

Quando, nove meses depois da noite no Hippodromo, a turnê *V* foi abortada no Rio Grande do Norte e, por tabela, gerou o duplo *Música p/ acampamentos*, Renato decidiu se cuidar. Pensava em si mesmo e na imagem que perigava passar para o filho Giuliano. Para adiar o aparecimento dos sintomas da Aids, passou a tomar AZT, cujos efeitos colaterais descreveria como "um cachorro vivo" que o estava comendo por dentro. Para o alcoolismo, freqüentou as discretíssimas reuniões dos Alcoólicos Anônimos. Para se desintoxicar, passou três meses internado na clínica Vila Serena, em Santa Teresa. "Essa opção, de quem faz esse tipo de tratamento, mostra uma humildade", elogiaria Rafael. "De reconhecimento de coisas do dia-a-dia, de dividir um quarto com alguém, uma pessoa que estava acostumada a ter a suíte que quisesse, no hotel que quisesse, de acordar cedo para fazer uma caminhada... Isso é coisa de quem quer se harmonizar." Renato estava preocupado com os escândalos que suas bebedeiras o levavam a protagonizar nas noites do Rio. Ele ia a shows, bebia, ficava agitado com a música e fazia besteira.

Certa noite, Renato, Dado e Leo Jaime foram assistir a uma apresentação da Rio Sound Machine, bem-humorada banda de *covers* dançantes na qual tocava o baixista Bruno Araújo, no Mistura Fina, na avenida Borges de

Medeiros, Lagoa. Quando o show acabou, Renato subiu ao palco, acusou Bruno de ter abandonado a Legião, ensaiou cantar algo, foi vaiado, atrasou o bis e terminou sendo arrastado para fora com uma gravata aplicada por um segurança. Saiu esbravejando, bêbado de dar dó: "Vocês me vaiam agora, mas quando eu me calar...". Na rua, deu uma gravata em Leo para mostrar o absurdo que tinha sofrido. Na carona para casa, proibiu todo mundo no carro de lhe dirigir a palavra. Era simultaneamente infantil e assustador. Era mesmo necessário dar um tempo e limpar o organismo. "Antes, só o Cazuza e o Lobão saíam no jornal", reclamava a Tárik de Souza, no *Jornal do Brasil* de 9 de outubro de 1993, quando estava quase pronto o novo disco, produzido pela banda e por Mayrton Bahia, com produção executiva de Rafael. "De repente, eu virei a Judy Garland do rock. De manhã, eu virava três doses de Cointreau. O alcoolismo é uma doença como o diabetes. Só não consegui ainda parar de fumar."

Dessa fase de recolhimento e cura, Renato extraiu a força para tornar seus últimos anos os mais produtivos da sua vida. De 1993 a 1996, gravaria o bastante para preencher seis belos discos: com a Legião, *O descobrimento do Brasil*, *A tempestade* e o póstumo *Uma outra estação*; solo, *The Stonewall Celebration Concert*, *Equilíbrio distante* e o póstumo *O último solo*. Era tanto a urgência de encaixar a arte longa na vida que sabia breve quanto um modo de ocupar a mente e não pensar muito nisso, terapia ocupacional. Nesse sentido, o primeiro disco dessa fase, *O descobrimento do Brasil* era — já a partir da capa, foto de Flavio Colker trazendo o trio trajado como se num florido século XV estivesse — o oposto solar de *V*. A partir de melodias apresentadas individualmente pelos músicos, as letras do CD incluíam um verdadeiro método Renato Russo para atingir e manter a paz. Nem que fosse por apenas um dia. A primeira faixa era uma balada na qual Dado tocava bandolim, "Vinte e nove": "Me embriaguei morrendo vinte e nove vezes/ [...] Quando você deixou de me amar/ Aprendi a perdoar/ E a pedir perdão./ (E vinte e nove anjos me saudaram/ E tive vinte e nove amigos outra vez)". A 14ª e última faixa se chamava "Só por hoje". Também era uma balada: "Só por hoje eu não vou me machucar/ Só por hoje eu não quero me esquecer/ Que há algumas pouco vinte e quatro horas/ Quase joguei minha vida inteira fora". Era seu auto-retrato daquele momento. O disco era esperançoso mas pragmático, nascido da constatação de que a gente aprende a sobreviver e a conviver, dia após dia, com coisas inimagináveis. Pragmático porque a consciência da finitude humana sempre marcara Renato, desde antes de ele ter-se descoberto soropositivo, até antes da Legião Urbana, talvez desde a epifisiólise na juventude, quem há de saber.

Na eterna dialética entre ética pública e privada na vida e obra de Renato, *O descobrimento* trazia também um impressionante retrato do país, filme queimado e tudo. Pois o Brasil também havia conseguido sobreviver a Fernando Collor de Mello, apeado do poder a 29 de dezembro de 1992. O Brasil que sobrara para o vice-presidente Itamar Franco estava por inteiro na quarta faixa, "Perfeição", incrivelmente amarga mas, no final das contas, otimista. Ninguém era poupado. "Vamos celebrar a estupidez humana/ A estupidez de todas as nações/ O meu país e sua corja de assassinos/ Covardes, estupradores e ladrões/ Vamos celebrar a estupidez do povo/ Nossa polícia e televisão/ Vamos celebrar nosso governo/ E nosso Estado, que não é nação", abria a letra daquela espécie de samba-enredo doente do pé, levado no excelente trabalho de bateria de Marcelo. E, conforme Renato adicionava-lhe camadas de teclados, a música atingia uma pungência quase insuportável ("Vamos alimentar o que é maldade/ Vamos machucar um coração/ Vamos celebrar nossa bandeira/ Nosso passado de absurdos gloriosos"). Ao fim, em sua quinta parte, "Perfeição" se abria num samba-canção: "Nosso futuro recomeça:/ Venha, que o que vem é perfeição".

Apesar disso, o sétimo álbum da Legião não era pesado ou difícil. "Perfeição", por exemplo, era contrabalançada na seqüência por "O passeio da Boa Vista", praticamente uma vinheta instrumental, sem percussão, melancólica, apenas Dado nas guitarras e Renato no violão e nos teclados. "Tínhamos pensado em fazer um disco só de *pop songs*, só *hitsinhos* e tal, curtinhos, 'Giz', 'Os anjos', 'Os barcos', tirando 'Perfeição'", explicaria Dado. Havia uma outra faixa impressionante em *O descobrimento do Brasil*, chamava-se "Love in the Afternoon" e tinha apenas o título em inglês. Seus versos eram quase rezados por Renato em intenção de amigos que haviam partido jovens, inclusive o baixista que os acompanhara na turnê *V*, Tavinho Fialho, morto num acidente de carro: "É tão estranho/ Os bons morrem jovens". De novo, só Dado e Renato a gravaram. O primeiro nas guitarras e o segundo cantando e tocando teclados, cítara e um dobro emprestado por Leo Jaime. Seria o goiano que, como fizera antes com Trilha, iria indicar o baixista da derradeira excursão da Legião Urbana, Gianfranco — ou simplesmente Gian — Fabra.

Essa excursão, porém, não era uma certeza quando a banda deu entrevistas sobre *O descobrimento do Brasil*. Mais uma vez Renato hesitava. "Cada show dá a sensação de que você passou num vestibular por noite", compararia a Celso Fonseca, no *Jornal da Tarde* de 24 de novembro. "Aquela euforia e depois... É bem o que a Janis Joplin falou: você faz amor com 30 mil pessoas e depois vai para casa sozinho. Quando me drogava, ia agüentando até virar um monstro, ninguém queria me ver, estava sempre irritado." Alguns meses depois, no meio da turnê, Renato estava era irritado com a recepção tanto a *O descobrimento* quanto a *The Stonewall Celebration Concert*, seu primeiro disco solo, gravado entre fevereiro e março de 1994, apenas na companhia do tecladista Carlos Trilha. "Tem gente que não sabe que a gente lançou disco novo!", espantava-se em julho, imitando uma voz esganiçada: "Pois é, quando é que vai ter lançamento? E eu tenho que dizer: 'A gente lançou em dezembro e, mês passado, eu lancei um disco solo'".

Este projeto, *The Stonewall Celebration Concert*, nascera como um show de piano e voz e se transformara num CD ensaiado por três meses e gravado por cinco semanas. Trazia 21 canções em língua inglesa, peneiradas a partir de um primeiro lote de 48 (mais quatro delas seriam lançadas em *O último solo*, disco póstumo de 1997). Algumas músicas, ao ficarem de fora, deixavam Trilha aliviado: "Bette Davis Eyes", de Kim Carnes, por exemplo. "Eu achava que não tinha a ver com ele, mas ele dava um jeito de ter a ver", constataria. Assim, Renato era capaz de pegar uma bobagem como 'Cherish', de Madonna e Pat Leonard, e dar-lhe a dignidade de uma canção de Irving Berlin, que aliás, estava presente no CD com "Say It Isn't So" e

"Let's Face the Music and Dance". Entre os compositores selecionados por Renato estavam ainda, entre outros, Stephen Sondheim ("Send in the Clowns"), Nick Drake ("Clothes of Sand") e Bob Dylan ("If You See Him, Say Hello"). A opção pelo inglês era seu modo de: a) evitar boatos sobre o fim da Legião; b) evitar comparações com o trabalho da banda; c) valorizar-se como intérprete; d) tentar exorcizar o relacionamento com Scott, de quem nunca mais tivera notícias desde que ele voltara pela segunda e derradeira vez para os EUA. *Stonewall*, claro, também se destinava a marcar o 25º aniversário do levante gay contra a polícia no bar do mesmo nome, em Nova York. Parte de seus *royalties* era doada, por Renato e pela EMI-Odeon, para a Ação da Cidadania contra a Miséria e pela Vida, organizada pelo sociólogo Herbert de Souza, o Betinho, irmão do cartunista Henfil, ambos hemofílicos soropositivos.

Além disso, o encarte trazia uma lista com nome, endereço e telefone de entidades de apoio a crianças e adolescentes de rua, mulheres e homossexuais, além do grupo ecológico Greenpeace. Mais que uma obra engajada, porém, *The Stonewall Celebration Concert* era um discaço, bonito e triste de doer. O que mais dizer de Renato cantando "The Heart of the Matter", de Mike Campbell, Don Henley e J. D. Souther? "I've been tryin' to get down/ To the heart of the matter/ But my will gets weak and my thoughts seem to scatter/ But I think it's about forgiveness/ Forgiveness" (Eu estive tentando me apegar/ Ao xis da questão/ Mas minha vontade enfraquece e meus pensamentos parecem se dispersar/ Mas eu acho que tem a ver com perdão/ Perdão). A gravação dessa catarse, óbvio, foi dolorosa para Renato. Ele parecia muito deprimido. "Estou cansado de ficar sozinho", disse um dia ao *roadie* Reginaldo, creditado no CD como "personal assistant to Mr. Russo".

VAMOS CELEBRAR A
ESTUPIDEZ HUMANA

A ESTUPIDEZ DE
TODAS AS NAÇÕES

O MEU PAÍS E SUA
CORJA DE ASSASSINOS

COVARDES, ESTUPRADORES E LADRÕES

VAMOS CELEBRAR A
ESTUPIDEZ DO POVO

FRAGIL

Como é bom estar vivo, né?

Parecia uma repetição da manhã de 8 de setembro de 1992, em Natal, Rio Grande do Norte. Mas não era, e tampouco era uma farsa. Era 1994, e a Legião Urbana estava em Vitória, Espírito Santo, para fazer o show de lançamento de *O descobrimento do Brasil*. Fazia outro lindo dia de sol. Dado Villa-Lobos e Marcelo Bonfá haviam saído para aproveitar a manhã numa fazenda nas vizinhanças da cidade. Na beira da piscina do hotel, o baixista Gian Fabra estava largado, lagarteando. Renato Russo acordou e desceu de seu quarto, com uma camisa de mangas compridas e um livro na mão. Sentou-se ao lado de Gian. Este nunca o havia visto à luz do dia. Como não estava mais bebendo, o cantor não reagiu mal ao saber que os outros tinham ido passear. Ficaram os dois ali, tranqüilos. Mas o dia estava tão bonito que Gian comentou com Renato: "Como é bom estar vivo, né?". Naquele instante, ele teve certeza de que o outro estava gravemente doente. Sua expressão ficou tão triste que não deixava margem a dúvidas. Gian tinha sido convidado para participar da turnê em março, substituindo o falecido Tavinho Fialho. Nada sabia sobre o estado de saúde de Renato. Não fora informado sobre isso nem quando, algum tempo depois, alguém lhe dissera que, sim, Renato era soropositivo. Gian tinha ido checar a informação com Dado, mas seu compa-

Bonfá, Renato e Dado trajados como portugueses do século XV: sessão de fotos para a capa do CD O descobrimento do Brasil.

nheiro de peladas negara tudo, com veemência. Agora, sem querer, o próprio Renato confirmava tudo, sem ter dito uma palavra.

Filho de siciliano, ex-estudante de violoncelo, Gian tinha chegado ao Legião depois de ter tocado profissionalmente com o Buana 4, grupo que o tecladista Maurício Barros formara depois de sair do Barão Vermelho, em 1988, e com a banda de apoio de Leo Jaime. Orgulhava-se de não ser um "músico-taxímetro", pois gostava de se envolver conceitualmente no trabalho. Mas mal acreditou quando — na cozinha do apartamento de Alvin L, onde um bando de conhecidos estava jogando Imagem & Ação — botou um pé no posto que havia sido de Bruno Araújo e de Tavinho Fialho, baixistas que considerava melhores que ele mesmo. "Estamos pensando em sair em turnê", confidenciou-lhe Renato. "Que legal, eu só vi um show da Legião na vida, no morro da Urca", disse Gian, que, depois de um instante, perguntou, talvez por reflexo, talvez por pretensão: "E quem vai tocar baixo?".

Renato devolveu: "Por quê? Você quer?". Gian não pestanejou: "Quero". E o outro: "Mas tem que falar com o Bonfá. Porque o Dado escolhe quem vai tocar violão, eu escolho quem vai tocar teclado e o Bonfá escolhe quem vai tocar baixo". No fim, o papo (e um ensaio caseiro) com o baterista deu certo e Gian se tornou músico de apoio da Legião. Durante um certo tempo, porém, ficou desconfiado que estava dentro menos por seus dotes musicais do que por ser um "bofinho bonitinho". Renato gostava de brincar que tinha "a banda mais bonita do Brasil" e até pegara no pé de Fred, que fora acalmado por Dado no bar do hotel Crowne Plaza, em São Paulo: "Calma, isso passa, isso passa...". Só com o tempo Gian aprendeu a entender o senso de humor enviesado de Renato e a superar sua própria insegurança. Descobriu que, muito pelo contrário, na banda valia o mais estrito profissionalismo. Ficou impressionado, por exemplo, com as reuniões de autocrítica após cada show. E começou a trocar figurinhas sobre literatura e poesia — campo em que se garantia mais do que no musical — com Renato.

Não era, entretanto, um grande fã da banda. Achava meio engraçado, inclusive, a idolatria que a cercava. Coisas do tipo fãs que dormiam na véspera na porta dos estádios para poder pegar guimbas ou copos d'água atirados por Renato ou que, se vissem Dado com um lenço amarrado no pulso, no dia seguinte também estavam com um lenço amarrado no pulso. "Achava que a Legião era pára-raio de maluco", confessaria. Contudo, conforme os shows da turnê *O descobrimento do Brasil* iam avançando, Gian foi entendendo a dimensão que aquilo tinha tomado. Em junho, no Gigantinho, em Porto Alegre, teve medo. Os 15 mil ingressos haviam sido vendidos. E havia sido descoberto um derrame de mais 7 mil ingressos, falsos. O ginásio, portanto, estava hiperlotado, vinte e tantas mil pessoas. "Se isso der merda... Vai ter morte e espero que não seja nenhum de nós", rezou o baixista. Começou o show e a banda lá em cima, tensa. Então, Gian começou a se sentir estranho, como se seu braço estivesse anestesiado. E, quando Renato entoou o refrão de "Índios" ("Eu quis o perigo e até sangrei sozinho./ Entenda — assim pude trazer você de volta pra mim"), o cético começou a chorar, chorar, chorar, involuntária e incontrolavelmente. "Eu tive a impressão de que ele estava cantando para ele mesmo", diria Gian. "A sensação era de que aquilo ia durar para sempre, era muito forte, era muito revelador sim. Ali, no palco, eu descobri coisas sobre o sentido da vida. Ali eu comecei a entender os fãs." Esses fãs se dispunham, até mesmo, a suspender o estado de euforia coletiva induzido pela realização simultânea da Copa do Mundo dos Estados Unidos.

Rafael havia tentado deslanchar a turnê no começo do ano, mas ela foi sendo prorrogada até que o choque — na verdade, uma provocação — se tornasse inevitável. A Legião já fazia tão poucos shows e ainda ia brigar na mídia com Romário, Dunga & Cia... "Eu quero que se dane o país do futebol", dizia Renato, categórico. O máximo que se fez foi não agendar nenhuma apresentação em dias de jogo do Brasil. E lá se foi a Legião redescobrindo o país, se apresentando por três noites (maravilhosas) no Metropolitan, no Rio, e duas (horrorosas) no Ibirapuera, em São Paulo. Dois dos shows cariocas foram gravados e lançados sob o título *Como é que se diz eu te amo* em março de 2001. Eram experiências religiosas, certo, mas havia senso de humor também: de vez em quando, por exemplo, no meio de "Que país é este", Renato citava "A dança da galinha", a última-novidade-da-Bahia na ocasião. No entanto, a turnê do ensolarado *O descobrimento do Brasil* estava fadada a se encerrar abruptamente, como havia acontecido, mais de dois anos antes, com a do brumoso álbum *V*.

Na noite de 14 de janeiro de 1995, a Legião Urbana estava se apresentando numa casa chamada Reggae Night, em Santos. Na verdade, era a primeira data de uma segunda perna da excursão, retomada mais descompromissadamente após uma parada tranqüila, para descanso, no melhor dos climas. Antes do show, por ironia, os jogadores Edmundo e Leonardo — que estavam participando de um torneio de futevôlei na cidade — foram aos camarins cumprimentar o roqueiro que detestava futebol. Renato deixou Leonardo desconcertado com um de seus truques tradicionais para superar a timidez. Disse que ele lhe lembrava uma pessoa, mas fez jogo duro para dizer quem, deixando o lateral crescentemente curioso. "Ah, diz aí, vai", pedia o atleta com cara de bom moço. "Você me lembra é o Ayrton

Senna", afinal concedeu o cantor. Bola pra frente, no meio do show, como já acontecera tantas e tantas vezes antes, uma lata de cerveja voou na direção do palco. Reginaldo, a postos, correu e tirou-a dali, antes que Renato a visse. Deu certo. A segunda lata, entretanto, acertou o cantor em cheio. E Renato passou 45 minutos cantando deitado no chão do palco, em frente ao *set* de teclados de Trilha, de modo que a platéia não o visse, exceto quando levantava o braço para olhar o relógio de pulso e ver que horas eram. "A temperatura ali ficou muito quente", lembraria Rafael, que temeu por um quebra-quebra generalizado. "Era improviso dele, uma viagem pessoal, a vivência de um drama. Dava para ser entendido mas não compartilhado. Fiquei torcendo para que outra latinha ou um chinelo não o acertasse ali." Quando aquilo afinal acabou, o próprio empresário estava convicto de que nunca mais haveria um show da Legião Urbana. E assim foi.

Depois de uma fase limpa, Renato voltara a brigar com a bebida, voltara a se machucar. Ele também se sentia incomodado pelos rumos que o culto à sua personalidade havia tomado, com aquela multidão de fãs clonados rondando os hotéis e ginásios. "Ele estava boicotando o próprio trabalho", concluiria Rafael. E embora ele mesmo, os colegas de banda e os amigos tentassem preservar e proteger Renato, isso era impossível. Pois o inimigo não estava "lá fora". "A gente sabia muito bem do que protegê-lo: da própria cabeça", contaria Denise Bandeira. "A instabilidade emocional é que jogava ele na lona." A única coisa que funcionava com Renato era trabalhar, era transformar sua vida em arte, era compartilhá-la. Esse estratagema também vinha sendo usado, já havia algum tempo, por quem estava em torno. "A idéia era mantê-lo sempre ocupado", explicaria Dado. "Porque o que ele mais gostava era de fazer música e estar num estúdio gravando, fazendo um disco. Então, a gente sempre incentivou muito essas coisas, que engrandeciam, davam força para ele." O CD solo *The Stonewall Celebration Concert* foi feito assim, com apoio total da banda, bem como o vôo seguinte, *Equilíbrio distante*, só com canções em italiano.

Renato não falava italiano. Tinha, no entanto, grande orgulho das origens da família Manfredini. E creditava ao seu "sangue lombardo" os rompantes de raiva que tinha. Além do mais, começou a pensar em conseguir dupla cidadania para ele e, se fosse possível, para Giuliano. Fuçando numa loja de discos, encontrou oito CDs de música pop italiana contemporânea. Adorou. Até então só conhecia, cultor de rock progressivo que havia sido, bandas do tipo Premiata Forneria Marconi. Juntou A mais B e decidiu ir resgatar — existencial e artisticamente — sua origem italiana. Decidiu ir pesquisar tanto os papéis necessários ao pedido de dupla nacionalidade quanto o repertório para seu segundo disco de intérprete *in loco*, numa viagem de oito dias à Itália, aproveitando as férias da Legião Urbana no fim de 1994. Para acompanhá-lo, convocou Gilda Mattoso, assessora de imprensa de sua carreira solo e da banda desde o lançamento de *O descobrimento do Brasil*. Nessa condição, Gilda assistira a alguns shows, tendo ficado em estado de choque com o que havia presenciado. "Eu só tinha visto coisa semelhante no Maracanãzinho, com o RPM", lembraria. "Sendo que o Renato não era um gato como o Paulo Ricardo."

Gilda não era marinheira de primeira viagem. Havia sido a última musa e mulher do poeta Vinicius de Moraes. Nessa condição, e como assessora de imprensa, vinha convivendo desde o final dos anos 70 com gente genial e idiossincrática, como Tom Jobim e Caetano Veloso. Renato vivia provocando-a. "Aposto que se fosse o Caetano você fazia diferente...", cutucava. Antes, porém, Gilda havia estudado letras na UFF e morado na Inglaterra e na Itália. Falava italiano fluente. Além disso, conhecia um bocado de gente do meio artístico do país, pois fora lá que se iniciara como divulgadora de eventos. Assim, "tia Irene" — como Renato a chamava — era a companhia ideal para a incursão italiana de Renato Manfredini Jr. Ele, porém, pareceu ter desembarcado com o pé esquerdo no aeroporto Malpensa, em Milão. Lá, a vigilância contra traficantes, sobretudo os vindos de países repassadores de cocaína, como o Brasil, era particularmente feroz, incluindo cães farejadores. Com seu cabelo desgrenhado, era óbvio que Renato levaria mais uma dura da polícia, agora, pela primeira vez, a italiana. Ficou indignado e começou a berrar, em inglês e em português: "*I'm a pop star*! Eu sou um *pop star*!". Naturalmente, os guardinhas não entenderam nada, ao menos até que Gilda explicasse a situação e lhes presenteasse com CDs de *O descobrimento do Brasil*, que providencialmente levava na bagagem.

Mal deixaram as malas no hotel, Renato descobriu uma monumental loja da Virgin Records na Piazza del Duomo. Ficou horas lá dentro, comprando tanto discos para o repertório do seu segundo solo quanto para sua já vasta estante de música clássica. "Parecíamos dois muambeiros", lembraria Gilda, que havia se surpreendido com o fato de aquela ser a primeira vez que Renato botava os pés na Europa. À noite, ele fez questão que jantassem num dos melhores restaurantes de Milão. Gilda estava seca para tomar um vinho, mas também estava disposta a respeitar a fase abstêmia do companheiro de viagem. Este, no entanto, mandou vir um dos melhores vinhos da casa para Gilda. E não tocou em álcool, não só naquela noite, como durante toda a viagem. A estada na Itália incluiu uma excursão a Sesto Cremonese, cidadezinha na periferia de Cremona, de onde os Manfredini haviam partido para o Brasil em 1878. Um tio-avô de Renato havia morrido durante a travessia do Atlântico. Lá, em Sesto Cremonese, descobriu a certidão de casamento de seus bisavós, Piero Manfredini e Maria Malvassori, em 1875. "Puxa, tia Irene, pensar nos meus avozinhos casando naquela igrejinha...", enternecia-se Renato. Depois de quatro dias em Milão, onde encontraram a sofisticada cantora Fiorella Mannoia, velha conhecida de Gilda, os dois partiram para mais quatro dias em Roma, onde, com a ajuda de Massimiliano de Tomassi, amigo de Nelson Motta, Renato iria concluir a pesquisa de repertório para seu disco. E a descobrir o endereço de uma grande livraria gay, na qual o brasileiro enriqueceu ainda mais sua grande biblioteca sobre todo e qualquer aspecto do homossexualismo. Renato levava o assunto a sério. Tão a sério que iria acabar deixando Gilda de saia justa num jantar na casa de um velho amigo italiano.

Gianni Minna era um produtor de TV ligado a esportes, que ela conhecia desde os tempos de Vinicius. Minna também era comunista de carteirinha. Quando chegou em Roma, Gilda ligou para ele, contando que estava na cidade por poucos dias, acompanhando um roqueiro brasileiro. O italiano era um cavalheiro e convidou os dois para um jantar, às 20:30h, em torno de um escritor colombiano, comunista como ele mesmo e como Gabriel García Márquez. Gilda sentiu cheiro de confusão e repassou o convite quase desconvidando Renato. "Olha, o Minna é um comunistão, pode ser chato, você não precisa ir...", disse. O outro, porém, se animou. Na hora de sair do Hotel della Minerva, Renato se atrasou à beça e os dois chegaram na casa do produtor quando a massa já havia sido preparada — pelo próprio anfitrião — e servida aos outros presentes. A mulher de Minna teve de se levantar da mesa e preparar mais dois pratos. Naturalmente, o assunto no jantar era política, sobretudo Fidel Castro, com quem Minna havia feito uma longa entrevista, transformada em livro. "Foram horas de tortura para mim", lembraria Gilda. Então, quase ao final da noite, veio o desastre, um daqueles desastres de rolar de rir desde que não aconteça na nossa presença. Como sempre fiel — fidelíssimo — apenas a si mesmo e a seus próprios princípios éticos, Renato não se conteve diante da interminável louvação ao líder cubano, pôs-se de pé e começou a falar alto, em portunhol: "Fidel põe *maricones* como eu no *paredón*!".

Ficou aquele clima, mas Minna quebrou o gelo com mestria e Renato acabou voltando ao Brasil com um livro autografado. No táxi de volta ao hotel atrás do Pantheon, ele tentou limpar a lambança. "Desculpa, tia Irene...", disse. Gilda desculpou, óbvio. O que era mais difícil de entender era o caminho que o repertório do disco que os havia levado até ali estava tomando. Todos os italianos, de Fiorella a Minna, tinham ficado pasmos quando Renato lhes dissera que pretendia gravar alguma coisa de Laura Pausini. Equivaleria ao maior cantor de rock italiano, Eros Ramazzotti, chegar ao Brasil para gravar um disco de canções em português e declarar estar muito ansioso para pegar algo do repertório de Sandy. "Ma Laura Pausini?" foi provavelmente a frase que Renato mais ouviu na língua de seus antepassados. Voltou ao Brasil carregado de CDs da cantora brega, entre outros artistas desaprovados pela intelectualidade italiana. De olho no Natal que se aproximava, voltou também carregado de presentes para a família e os amigos, coisas extraordinárias, caras. Boa parte das mercadorias foi acondicionada dentro de um baú de papelão resistente, decorado com motivos de Branca de Neve, baú que ficou para a filha de Gilda, Marina.

Para gravar *Equilíbrio distante*, Renato aproveitou que a Legião Urbana havia entrado em recesso depois do show de Santos e decidiu repetir o time vencedor de *The Stonewall Celebration Concert*. Convocou o tecladista e produtor Carlos Trilha. Dessa vez, no entanto, os dois decidiram se cercar de mais alguns músicos, como o guitarrista Ricardo Palmeira, o baterista Eduardo Constant e, finalmente perdoado, o baixista Bruno Araújo, que brigara com Fred nos ensaios da turnê *V*. Foram nove meses de estúdio. Nem todos calmos. Às vezes, Renato se irritava porque Trilha não conseguia resolver tecnicamente alguma de suas orientações intuitivas. "Eu me sentia mais seguro com ele do que sem ele", diria o tecladista. "Porque se você pedisse ajuda, tipo 'por favor, me mostra o que você quer, então', você derrubava ele." Num determinado momento em meados de 1995, a crise foi bem mais grave. Simultaneamente a dúvidas sobre a pertinência ou não de estar gravando aquele disco em italiano — tinha medo de o público da Legião Urbana considerá-lo um produto brega demais — Renato terminou um namoro e caiu em depressão. Foi a Brasília visitar os pais, a irmã e o filho e, no avião de volta, cedeu à tentação do carrinho de bebidas. "Entrei em parafuso", contou a Luiz Henrique Romanholli em *O Globo* de 18 de dezembro. "Veio 'o vôo apimentado do Renato Russo', quis tirar a roupa no avião, alucinado, vindo de Brasília." Na entrevista, no restaurante Pizza Palace, não muito distante de sua casa, Renato parecia cansado. "Estou do meio para o fim de uma depressão, e a terapia é trabalhar", explicou. "Fiquei catatônico, sem querer sair da cama, tinha ataques de pânico e ansiedade." Tal depressão fez com que as gravações de *Equilíbrio distante* — álbum de título auto-explicativo — chegassem a ser paradas por um mês e meio. Tais interrupções também podiam ser menores. Havia dias em que Renato apenas passava pelo estúdio. "Vou para casa", avisava já ao chegar. "Só vou dar as coordenadas."

Não bastassem os seus próprios problemas, Renato ainda ficava tocado com notícias que lia nos jornais. Algo que o deixou particularmente sensibilizado aconteceu no feriado da padroeira do Brasil, Nossa Senhora Aparecida, 12 de outubro. Ao meio-dia, no programa *Despertar da fé*, da TV Record, propriedade da Igreja Universal do Reino de Deus, o pastor Sérgio von Helder desferiu socos e pontapés numa imagem da santa. "Será que Deus pode ser comparado a um boneco desses, tão feio, tão horrível, tão desgraçado?", escarneceu o evangélico. "Isso não é santo coisa nenhuma e não pode fazer nada por você!" O país ficou indignado, como era de se esperar. O pastor foi indiciado pela polícia paulista por difamação, vilipêndio e ofensa aos fiéis católicos. A Confederação Nacional dos Bispos do Brasil (CNBB) divulgou nota oficial, condenando a agressão à santa. E Renato, agnóstico criado numa família católica, ficou possesso. "Ele ficou muito revoltado ao ver o pastor chutando a santa", contaria sua irmã, Carmem Teresa.

Por tudo isso, é ainda mais fantástico que o CD surgido nessas condições fosse muito mais tranqüilo que qualquer um da Legião Urbana. E muito menos triste que o solo anterior. Dentro da capinha em papel — projeto grá-

FLAVIO COLKER

Renato e modelos no clima do videoclipe para "Strani amori": sessão de fotos para o encarte do álbum solo Equilíbrio distante.

fico do próprio Renato e do *designer* Egeu Laus decorado por fotos dos Manfredini em Curitiba, no começo do século XX, e por desenhos do pequeno Giuliano, entre outras ilustrações — estavam, selecionadas entre mais de duas mil faixas de mais de duzentos CDs, músicas do repertório de Laura Pausini (como "Strani amore"), do Premiata Forneria Marconi ("Dolcissima Maria") e até de Lulu Santos ("Come fa un'onda", versão de "Como uma onda" para o italiano, feita por Massimiliano de Tomassi). Outras quatro músicas em italiano entrariam no póstumo *O último solo*, cuja produção arrancaria muitas lágrimas de Carlos Trilha. Em 1997, trancado no estúdio Discover, ele analisava as fitas das sessões de *The Stonewall Celebration Concert* e *Equilíbrio distante*. Estava ouvindo a faixa "The Dance" (de Tony Arata) quando tomou um susto. Não se lembrava que Renato a tinha cantado. Tinha. E, graças à tecnologia digital, Trilha podia ouvir nitidamente, antes de o vozeirão ser solto, a respiração ansiosa do cantor. Era como se ele estivesse ali, no seu ouvido. O produtor quase desidratou de tanto chorar. "Tudo o que eu não chorei na hora da morte, eu chorei ali", lembraria Trilha.

Cantando numa língua que não falava, Renato deixou-se guiar, mais que nunca, pela intuição. E novamente ela não o deixou na mão. A grandiloqüência de "La solitudine" lhe caía muitíssimo bem. "Questo silenzio dentro di me/ È l'inquietudine di vivere la vita senza te/ Ti prego aspettami perché/ Non posso stare senza te/ Non è possibile dividere la storia di noi due" (Este silêncio dentro de mim/ É a inquietação de viver a vida sem você/ Te peço que me espere porque/ Não posso ficar sem você/ Não é possível dividir a história de nós dois). Apesar da dor-de-cotovelo crônica, a letra da última faixa ("La vita è adesso", a vida é agora) deixava uma janela aberta para a esperança, janela pela qual, entretanto, se ouvia o ruído dos trovões e o "Va, pensiero", o canto pessimista dos escravos hebreus na Babilônia, da ópera *Nabucco*, de Giuseppe Verdi.

No período em que Renato ficou cuidando de si mesmo e de *Equilíbrio distante*, Dado e Marcelo trataram de, junto com o diretor artístico da EMI-Odeon, João Augusto, supervisionar a remasterização dos seis primeiros CDs da Legião Urbana por Peter Mew, nos lendários estúdios da gravadora em Abbey Road, Londres. Ficou de fora da caixa de metal *Por enquanto — 1984/1995* somente o duplo ao vivo *Música p/ acampamentos*, caso perdido em termos de má qualidade sonora. Em compensação, entrou um libreto com a análise das letras da Legião, escrito pelo velho amigo Hermano Vianna. Rafael, por seu turno, ficou cuidando dos outros artistas de seu escritório, que havia deixado de estar exclusivamente ligado à banda na rebordosa da interrupção da excursão de 1992. Assim, ele pudera empresariar também Cássia Eller, Maria Bethania, Kid Abelha. Breve, no entanto, a Legião Urbana estaria voltando à ativa, com uma urgência sem precedentes.

Na época em que *Equilíbrio distante* foi lançado, Renato vivia dizendo estar em "depressão química". Era um eufemismo para a ressaca causada pelos medicamentos que tinha de tomar na tentativa de combater os efeitos da Aids, que aos poucos avançavam, uma febre aqui, outra lá. Para um sujeito sensível que, além de tudo, estudava o assunto por conta própria, a consciência de que a doença afinal havia chegado, depois de um período assintomático de cerca de cinco anos, era desoladora. Na mesma entrevista a Romanholli citada acima, sem mencionar a doença de jeito nenhum, ele comentava o mito do roqueiro de autocombustão rápida, sintetizado na figura do líder do Nirvana: "Eu abusei muito do meu organismo. Durante muito tempo, fui levado a acreditar que o romântico era se autodestruir. Hoje, eu sei que não existe graça em ver o Kurt Cobain se matando no palco. Isso não é rock'n'roll, não vamos dar nota dez para esse show". O seu velho pesadelo, de virar *junkie* para gáudio da morbidez alheia, tinha se transformado em realidade. Por isso, optou por negar a doença até o fim, apesar dos crescentes boatos. Mesmo muita gente próxima desconhecia o seu real estado. Gilda Mattoso, por exemplo, só descobriu que Renato estava doente quando ligou para Rafael, explicando que os jornais estavam cobrando novas fotos de divulgação de *Equilíbrio distante*. O empresário, então, explicou que isso estava fora de cogitação. E contou-lhe o porquê.

Em janeiro de 1996, menos de um mês depois do lançamento do disco solo em italiano, a Legião Urbana entrava novamente num estúdio, o AR, para registrar aquele que seria o último disco. Ou melhor, seus dois últimos discos. O material que Renato havia escrito no ano sabático do grupo era capaz de preencher um álbum duplo, viera aos borbotões. Assim, *A tempestade* — ou *O livro dos dias*, subtítulo pelo qual foi chamado durante algum tempo — era um irmão xifópago de *Uma outra estação* — que seria lançado somente um ano depois da morte do letrista — ao qual estava ligado pelas vísceras. Renato nunca havia deixado de se expor através de sua arte, mas, em letras como "A Via Láctea" e "Clarisse", ia ainda além. Tanto era assim que ele mesmo duvidava até onde devia ir. A letra sobre a menina de 14 anos que, trancada no banheiro, fazia marcas no corpo com um pequeno canivete, por exemplo, foi motivo de muita discussão entre os membros da banda. "Perto daquilo, Christiane F. era um conto da carochinha", diria Dado. "Aquilo era autobiográfico, Renato se pondo na pele da menina de 14 anos." Renato achava que os fãs não mereciam ouvi-lo cantar — num comovente primeiro *take*, sem errar, deixando todos arrepiados — versos como "Deitada no canto, seus tornozelos sangram/ E a dor é menor do que parece/ Quando ela se corta, ela se esquece/ Que é impossível ter da vida calma e força". Assim, a faixa ficou de fora de *A tempestade*. "Temos um compromisso com nossos fãs", vivia repetindo para Dado e Marcelo. Ele também era contra a idéia de lançar um álbum duplo por conta do alto preço com que ele chegaria ao consumidor final. Pesou ainda na decisão de lançar *A tempestade* e *Uma outra estação* separadamente a falta de tempo hábil para mixar as 25 canções registradas naquelas sessões.

Renato, na verdade, apareceu muito esporadicamente no estúdio. Quando Marcelo o reencontrou no AR, depois de algum tempo sem vê-lo, ficou impressionado, mal impressionado. "Ele estava num sofá, muito magro", contaria. "E é incrível porque aqueles discos têm a voz mais fraca nas linhas melódicas mais difíceis." Trilha também ficou mal: "Ele não estava mais dando conta de cantar. Fui chorar e tomar um banho". Renato registrou quase tudo de primeira, e não voltou para regravar nada, exceto "A Via Láctea", que, contra a opinião da EMI-Odeon, queria transformar na música de trabalho do CD. Quando cantou "Hoje a tristeza não é passageira/ Hoje fiquei com febre a tarde inteira/ E quando chegar a noite/ Cada estrela parecerá uma lágrima", Renato estava efetivamente com febre. "A música era muito triste, uma bandeira completa", lembraria Rafael. Para conseguir controlar melhor a situação, todos decidiram que o melhor seria limitar drasticamente o número de pessoas com acesso ao estúdio. "Ter uma pessoa de fora para se relacionar naquele ambiente seria complicado", explicaria Dado, que por isso acabou acumulando a produção. A um simples "tudo bem?" Renato podia reagir explosivamente: "Tudo bem o quê? Por que tudo bem?". Mas também era capaz de carinhosamente cantar "La solitudine" à capela para a cozinheira do estúdio, dona Penha, que lhe preparava as sopas que seu estômago atacado pelos remédios podia suportar. Fora-se o tempo em que ele podia encomendar e devorar feliz lanches do McDonald's.

Tendo posto as vozes-guia nas músicas, Renato retirou-se para seu apartamento. De lá, ficava acompanhando os trabalhos dos dois outros — e de Carlos Trilha — no estúdio. Recebia as fitas DAT e ligava fazendo observações nem sempre gentis. Apesar do cansaço, era capaz de passar horas ao telefone soltando os cachorros em cima de Dado ou de Marcelo, reclamando disso ou daquilo, acusando-os de não entender o que era a Legião Urbana, de terem perdido a intuição. Volta e meia, usava um argumento irrespondível: "Estou doente, porra". Brigaram muito, e fizeram as pazes, também. "O Dado se queixava muito do abandono", lembraria Reginaldo Ferreira, alçado ao posto de assistente de produção. Entre as suas tarefas estava levar e trazer Renato para casa no seu Del Rey — coisa que já fizera durante as gravações de *The Stonewall Celebration Concert* e de *Equilíbrio distante* — e, posteriormente, levar-lhe as fitas digitais. Aproveitando o trânsito tranqüilo das madrugadas, os dois conversavam bastante, embora nunca sobre vida pessoal. "Você tem que ter método no que faz", ensinou-lhe Renato. "Aleatoriamente, não consegue chegar lá." Uma noite, ele perguntou a Reginaldo por que os fãs gostavam tanto da Legião Urbana. Reginaldo, ex-presidente de fã-clube, não precisou parar para pensar na resposta: "Porque a Legião fala de assuntos que as outras bandas não abordam: amizade, sinceridade, amor". Renato nada disse, apenas sorriu. Quando tinha decidido tornar-se *roadie* da banda de seu coração — concretizando uma daquelas coisas que o

VAMOS FALAR
DE PESTICIDAS E
DE TRAGÉDIAS RADIOATIVAS
DE DOENÇAS INCURÁVEIS

VAMOS FALAR DE SUA VIDA
PRESTE ATENÇÃO AO QUE ELES DIZEM

TER ESPERANÇA
É HIPOCRISIA
A FELICIDADE
É UMA MENTIRA

E A MENTIRA É SALVAÇÃO
BEBA DESSE SANGUE IMUNDO

cantor chamava de "profecia auto-realizável" — Reginaldo tivera medo de que aquilo tudo não passasse de armação, de que aquelas letras não fossem verdadeiras. Ficou satisfeito ao descobrir que eram.

Lançado em setembro de 1996, com o disse-me-disse sobre a saúde de Renato no auge, embora freqüentemente sua doença fosse descrita como síndrome do pânico, *A tempestade* estava cheio de letras verdadeiras. Sua epígrafe, tirada do livro *Serafim Ponte Grande*, de Oswald de Andrade, era de uma melancolia avassaladora: "O Brasil é uma república federativa cheia de árvores e gente dizendo adeus". O CD propriamente dito abria com "Natália", um rock irado, um manifesto: "Vamos falar de pesticidas e de tragédias radioativas/ De doenças incuráveis/ Vamos falar de sua vida/ Preste atenção ao que eles dizem/ Ter esperança é hipocrisia/ A felicidade é uma mentira/ E a mentira é salvação/ Beba desse sangue imundo". A faixa seguinte, "L'avventura", tirava seu título de um filme de Michelangelo Antonioni e com ele compartilhava a incomunicabilidade. "Nada é fácil, nada é certo/ Não façamos do amor algo desonesto", clamava Renato, antes de concluir: "E eu sei porque você fugiu/ Mas não consigo entender". E lá ia o letrista recolhendo os fragmentos do seu discurso amoroso: "A paixão já passou em minha vida/ Foi até bom mas no final deu tudo errado" ("Longe do meu lado"); "Eu tive o teu veneno/ E o sopro leve do luar/ Porque foi calma a tempestade" ("Soul Parsifal"); "Meu amor, se quiseres voltar — volta não/ Porque me quebrastes em mil pedaços" ("Mil pedaços"); "Digam o que disserem/ O mal do século é a solidão" ("Esperando por mim"); "Todos se afastam quando o mundo está errado/ Quando o que temos é um catálogo de erros/ Quando precisamos de carinho,/ Força e cuidado" ("O livro dos dias"). *A tempestade*, contudo, não era um disco de letras egoístas e de instrumentais ciclotímicos, entre a raiva das guitarras e a depressão dos teclados. Renato se preocupava com a solidão da juventude em "Aloha" ("Não há ninguém para ajudar/ A explicar por que é que o mundo/ É este desastre que aí está"), relembrava um jovem acidentado no trânsito de Brasília em "Dezesseis" ("Johnny era fera demais pra vacilar assim/ E o que dizem é que foi tudo por causa de um coração partido") e se descontraía apenas uma vez, na caseira "Leila" ("E você diz daquele seu jeito: — Ai, preciso de um homem/ E eu digo: — Ah, Leila, eu também/ E a gente ri").

Para *Uma outra estação*, que seria lançado na metade de 1997, ficaram, além de "Clarisse", outras faixas bem pesadas, como o rock desesperado "As flores do mal" ("Seu interesse é só traição/ E mentir é fácil demais"), o blues indignado "La maison dieu" ("Eu sou a lembrança do terror/ De uma revolução de merda/ De generais e de um exército de merda/ Não, nunca poderemos esquecer/ Nem devemos perdoar/ Eu não anistiei ninguém") e o gótico tribal "A tempestade" ("Trouxe flores mortas para ti/ Quero rasgar-te e ver o sangue manchar/ Toda a pureza que vem do teu olhar/ Eu não sei mais sentir"). Além das faixas gravadas nas mesmas sessões que deram em *A tempestade*, "Uma outra estação" trazia ainda uma "Riding Song" que incluía a apresentação de todos os membros da banda, registrada para uma fita cassete promocional do álbum *Dois* (Renato Rocha reapareceu fugazmente e gravou o baixo da faixa quando o novo CD estava sendo finalizado); três músicas compostas no tempo do Trovador Solitário ("Dado viciado", nada a ver com o Villa-Lobos, nunca é demais lembrar, "Marcianos invadem a Terra" e "Mariane", uma bela balada em inglês); duas vinhetas conduzidas por Trilha ("Schubert Ländler" e "High Noon/Do Not Forsake Me"); um alegre *cover* para uma música da trupe setentista brasiliense Liga Tripa ("Travessia do Eixão"). Essa diversidade enfatizava o caráter antológico do disco, destacado por Dado e Marcelo numa frase da primeira folha do encarte: "Ouça este disco da primeira à última faixa. Esta é a história de nossas vidas". *Uma outra estação* era uma espécie de disco-testamento da Legião, não importava que outros pudessem vir depois.

Nele, duas faixas, em particular, marcavam a partida de Renato. Numa, a segunda, "Uma outra estação", sua voz era pouco mais que um sussurro fantasmagórico e, apesar de a letra não ser particularmente triste, trazia versos que *a posteriori* poderiam ser entendidos como uma despedida: "Teu corpo alimenta meu espírito/ Teu espírito alegra minha mente/ Tua mente descansa meu corpo/ Teu corpo aceita o meu como a um irmão/ Longe longe, estou em outra estação". Noutra, a antepenúltima, "Sagrado coração", a placidez do trabalho de Dado, Marcelo e Trilha deixava vaga uma cadeira à cabeceira da mesa. Embora a letra estivesse impressa no encarte, havia uma nota de rodapé, a explicar e a comover: "Esta canção não possui registro da voz de Renato". O incômodo daquela ausência apenas aumentava quando o fã trombava com os versos finais: "Por isso lhe peço por favor/ Pense em mim, ore por mim/ E me diga: — este lugar distante está dentro de você/ E me diga que nossa vida é luz/ Diga que nossa vida é luz/ Me fale do sagrado coração/ Porque eu preciso de ajuda". E assim como *Stonewall* e *A tempestade*, *Uma outra estação* trazia uma listinha de entidades de apoio a soropositivos, famintos e menores de rua para as quais vale a pena contribuir.

Na noite de 2 de março de 1996, enquanto Dado estava enfurnado no estúdio resolvendo o dilema *A tempestade/Uma outra estação*, o jatinho no qual viajava o grupo mais popular do Brasil naquele momento — os escrachados Mamonas Assassinas — se espatifou contra a serra da Cantareira, na periferia de São Paulo, matando todos os ocupantes. Renato ficou comovido, pois admirava naqueles cinco garotos de Guarulhos uma energia vital que já lhe escapava. Mandou publicar nos jornais um anúncio no qual se despedia dos colegas de gravadora: "Adeus, Mamonas, um abraço sincero da Legião". Era mais um dos seus gestos de generosidade, como doações a instituições de caridade e a grupos de auto-ajuda. Numa entrevista à repórter Teresa Albuquerque, do *Correio Braziliense*, publicada em 14 de julho, num caderno Dois inteiramente dedicado aos 10 anos do disco *Dois*, Renato explicitava as diferenças: "[Os Mamonas] Não eram inseguros como nós, não eram melancólicos. Eram cheios de vida, queriam fazer bagunça mesmo. E aconteceu o sucesso. Depois pensei muito sobre isso".

Entre o acidente dos Mamonas Assassinas e a entrevista ao *Correio*, Renato comemorara o seu 36º aniversário. Reunira um grupo de amigos bem chegados no apartamento da rua Nascimento Silva. Entre eles estavam o pessoal da Legião, inclusive alguns dos músicos de apoio, Alvin L., Luiz Fernando Borges, Leo Jaime, Denise Bandeira, a cantora Marina, os atores Marco Nanini e Zezé Motta. Renato estava todo de branco, o que não era incomum. Parecia cansado e irritadiço, o que também não era incomum.

Tanto recebeu quanto deu presentes. Para Fred Nascimento, que foi de mãos abanando, ele deu *(What's the Story) Morning Glory?*, CD que o Oasis havia gravado no ano anterior. Para Gian Fabra, deu uma cópia de *Equilíbrio distante*. Para os dois, que, junto com o baterista Marcelo Wig, haviam formado o Tantra, Renato deu uma história do movimento punk em italiano, cujo título do primeiro capítulo ("Mordacchia", mordaça, em italiano) seria também o de uma das canções do CD de estréia do trio, *Eles não eram nada*, lançado no fim de 1996. Tendo ouvido "Natália", faixa que estaria em *A tempestade*, Gian comentou que a tinha achado muito deprimente. Renato foi enfático. "É para ser deprimente", cortou o papo. Jantaram, ouviram Iron Butterfly, houve uma discussão sobre a importância do filme *O balconista* (de Kevin Smith), alguém derramou vinho na cama de Renato. Tudo parecia normal. Mas, na saída, Fred comentou com Gian: "Que coisa esquisita... Parece uma despedida!".

Não era. Sua despedida seria ainda mais discreta. E, por ter mantido a doença em segredo durante tanto tempo, ela pareceu incrivelmente rápida. Tanto que alimentou a lenda de que ele teria se entregado. "Renato não era uma pessoa de se entregar, ele perdeu a guerra", diria Dado. "O sistema imunológico ia embora com as emburacadas dele. Chegou um momento que não existiam mais células brancas para combater as infecções oportunistas." Havendo abandonado e retomado o tratamento no decorrer dos anos, conforme as recaídas em álcool ou em outras drogas, muitos remédios perdiam o efeito, como um antibiótico que tem o uso interrompido. Isso apressou e agravou a fase aguda da Aids. Além do mais, estudioso que era do assunto, Renato não acreditava muito em novos tratamentos, que pudessem lhe proporcionar uma sobrevida. Um dia, no eterno leva-e-traz de DATs das sessões de *A tempestade/Uma outra estação*, Reginaldo se surpreendeu ao encontrar a casa de Renato tomada por médicos e enfermeiros. Mesmo na cama, o cantor parecia bem e dispensou-o rapidamente, mencionando, mais uma vez, a "depressão química". Nos seus três últimos meses de vida, com o agravamento do quadro, seu Renato veio de Brasília para ficar permanentemente ao lado do filho.

Com algumas exceções, como Denise Bandeira, que o visitava com freqüência, até os amigos eram mantidos a distância. Se isso lhes aumentava a angústia, também lhes inspirava respeito. Todos entendiam a opção de Renato por partir sem alarde. "Era doloroso para os amigos porque eles queriam participar", contaria Leo Jaime. "Dava um sentimento de impotência, sofri muito. Mas ele queria uma morte elegante, não queria dividi-la com ninguém. Nada de piedade ou compaixão." Leo se aproximara de Renato ao perceber que ambos tinham estilos de vida parecidos, ambos tinham vindo do Planalto Central (o goiano Leo também morara em Brasília, por menos de um ano, embora os dois não tivessem se conhecido por lá), ambos tinham a mesma idade e ambos também consideravam os amigos (muitos deles comuns) parte da família. Em 6 de novembro de 1993, enquanto Madonnna se apresentava no Maracanã, os dois haviam ficado na casa de Luiz Fernando Borges, ouvindo o disco *Erotica*, batendo papo e esperando Alvin L. e o ator Maurício Branco voltarem do estádio para contar como havia sido a apresentação da turnê *The Girlie Show*. Excluído da lista de 2.500 convidados, Leo sentiu-se consolado ao descobrir que o outro também não era *vip*... Depois, a amizade se estreitara nas reuniões dos ASA. E, se Renato tivesse vivido o bastante para concretizar o projeto de gravar um álbum só com composições brasileiras alheias, "A fórmula do amor", de Leo e de Leoni, estaria entre elas.

Renato, porém, estava piorando. "Estou gordo, ainda bem", havia brincado com os amigos antes de realmente começar a apresentar os sintomas da doença. "Se eu estivesse magro as pessoas diriam que estou com Aids." Agora ele estava magro, muito magro. Pois como a medicação lhe atacava violentamente o estômago, ele havia desenvolvido uma espécie de anorexia. Só conseguia tomar água-de-coco e comer um sanduíche a espaços de vários dias. Para piorar, deprimiu-se profundamente. Mas não perdeu a tranqüilidade. "Estou em paz, mãe", dissera meses antes, por telefone, a dona Maria do Carmo, que foi mantida na ignorância de seu real estado. "Tudo o que eu fiz de certo e errado na minha vida já conversei com Deus." Renato também deixara instruções para o que queria que fosse feito com seu corpo após a morte. Queria ser cremado e ter as cinzas espalhadas no sítio do paisagista Burle Marx, em Barra de Guaratiba, zona oeste do Rio de Janeiro.

No dia 8 de outubro, Dado e Fernanda Villa-Lobos foram visitá-lo. O guitarrista estava assustado com um novo boato, de que Renato havia se suicidado. Encontrou seu Renato abatido, mas o filho ainda estava vivo, embora muito fraco e já quase sem falar. Ao vê-lo daquele jeito, Dado teve um ataque de choro. Trancou-se no banheiro até fazer cessar as lágrimas, conseguir se controlar minimamente e voltar ao quarto do amigo. O médico de plantão na cabeceira de Renato tentou chamá-lo a si. "Renato, quem é esse cara que está aí?", perguntou. O cantor e letrista da Legião Urbana hesitou mas respondeu: "Ahn... É o guitarrista da minha banda". Dado ficou o quanto suportou ali, deu tchau e virou-se para sair do quarto. Foi quando ouviu Renato se despedir: "Adeus".

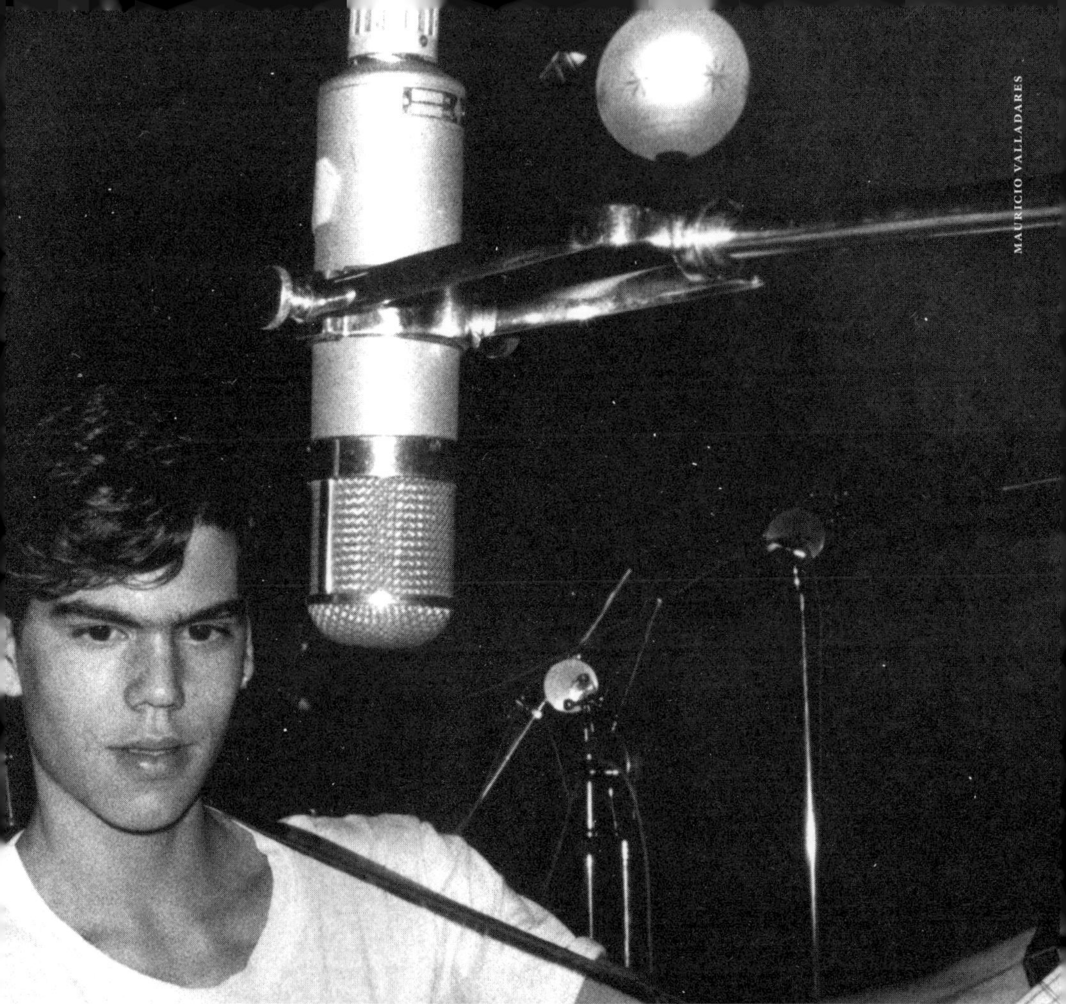

MAURICIO VALLADARES

EPÍLOGO

Verrà la morte e
avrà i tuoi occhi

Na manhã de 11 de outubro de 1996, eu estive entre as centenas de jornalistas mobilizados em todo o país para a cobertura da morte de Renato Russo. Na minha sala em *O Globo*, selecionava os artigos a serem publicados na página 7 do jornal na edição do dia seguinte quando o editor do Segundo Caderno, Luiz Noronha, me avisou: "O Renato Russo morreu. Agora é sério". Nas últimas semanas, eram freqüentes os boatos sobre a morte ou até o suicídio do cantor, compositor e letrista do grupo Legião Urbana, o mais popular do Brasil, o que tornava importante frisar que daquela vez era sério. Noronha perguntou-me se eu podia me agregar à sua equipe, que, naquele momento, começava a preparar um caderno especial, condizente com a importância do homem que acabara de expirar. Sim, claro, era só me desincumbir dos afazeres na editoria de Opinião. Isso feito, voltei para casa, em Laranjeiras, num carro do jornal, para pegar material de pesquisa, velhos recortes, discos. Já no caminho de volta para a rua Irineu Marinho, enquanto fazíamos um contorno para pegar o túnel Santa Bárbara, o rádio do carro, sintonizado na Tupi FM, começou a tocar "Quando o sol bater na janela do teu quarto". Foi então, no meio da tormenta característica das grandes coberturas jornalísticas, que os versos "Tudo é dor/ E toda dor/ Vem do desejo/ De não sentirmos dor" me atingiram em cheio. Aquele foi um momento de serenidade, talvez o único do dia. Foi o momento em que eu soube, realmente soube, que Renato Russo havia morrido. E que nunca mais escutaríamos nada parecido.

Como repórter, eu havia entrevistado a Legião Urbana uma boa meia dúzia de vezes. Nelas, sempre era Renato quem mais falava, falava tanto que Dado Villa-Lobos e Marcelo Bonfá o sacaneavam, dizendo que seu principal *hobby* era dar entrevistas. Duas delas, aliás, sem a presença dos dois, haviam sido gravadas por propósitos diferentes. A primeira, na penúltima semana de junho de 1988, fora realizada por mim e pelo subeditor Paulo Adário no salão do último andar da gravadora EMI-Odeon, logo em seguida ao fatídico show no Mané Garrincha, em Brasília, show, aliás, que eu presenciara. Suas duas fitas foram sintetizadas nas perguntas e respostas de "O.k., estamos num impasse", entrevista publicada no Caderno B do *Jornal do Brasil* do dia 27 daquele mês. A segunda, no dia 18 de julho de 1994, fora realizada no apartamento de Renato na rua Nascimento Silva. Suas três fitas foram sintetizadas no capítulo dedicado à Legião Urbana em meu primeiro livro, *BRock — O rock brasileiro dos anos 80*, publicado pela Editora 34 em dezembro do ano seguinte. São essas cinco fitas a espinha dorsal deste perfil. A maior parte das outras declarações de Renato foi tirada do texto impresso das nossas entrevistas não-gravadas — como, por exemplo, a relativa ao lançamento do álbum *As quatro estações*, na qual ele pela primeira vez falou abertamente de seu pansexualismo — ou recontada pelas pessoas que as ouviram, pais, irmã, amigos, colegas, numa das outras vinte entrevistas que realizei para este livro. Com eles compartilho o respeito pela vida e pela obra de Renato. Algumas declarações importantes a colegas da imprensa estão creditadas.

A última vez que conversei com Renato foi naquela noite de julho de 1994. Estava de ótimo humor. Quando cheguei ao seu bem-cuidado apartamento, ele brincou: "Não parece a casa da Vovó Donalda?". Mais adiante, ao exemplificar as duas vertentes do rock brasileiro pré-anos 80, ele soltou o vozeirão e ensaiou um falsete, como está na página 87. (Ao ouvir as fitas novamente, no começo deste ano, caí na gargalhada.) E, tendo recentemente concedido uma ampla entrevista à revista *Manchete*, estava revoltado com o restrito título "Renato Russo assume total". Mas mesmo sua revolta podia ser bastante espirituosa: "'Renato Russo assume total'?! Qual é a novidade?! É a mesma coisa que dizer 'Jacó vai à sinagoga'!". Na despedida, deu-me uma cópia de *The Stonewall Celebration Concert* e autografou-a. Quando o meu livro saiu, mandei-lhe um exemplar autografado por intermédio de Luiz Henrique Romanholli, que o estava indo entrevistar por conta do lançamento de *Equilíbrio distante*. Consumidor voraz, Renato já o tinha lido.

No momento em que escrevo, manhã de 21 de julho de 2000, quase quatro anos após a morte de Renato, a Legião Urbana continua sendo a maior vendedora da EMI-Odeon brasileira. Mais de 12 milhões de discos de Renato, Dado, Marcelo e Negrete foram vendidos até hoje. Apenas os discos solo de Renato, em língua estrangeira, o que teoricamente dificultaria sua assimilação, já ultrapassam a casa do 1,5 milhão de cópias. Assim como às vezes a gente sente vergonha por alguém, olhar para essa obra, bem como para o sucesso popular por ela alcançado, me dá um certo orgulho, tanto da banda quanto de quem ouve os seus discos. Porque a gente vive ouvindo que no Brasil só coisa ruim — ou ao menos fácil — vende bem. Que não há espaço para letras e melodias elaboradas, referências cultas, postura política, sentimentos, ética. E o legado de Renato Russo, à frente da Legião Urbana ou sozinho, é um desmentido veemente e comovente à idéia de que o brasileiro se compraz em ser burro ou em ser superficial. Sua obra comprova que inteligência, sinceridade e apelo popular não são incompatíveis entre si.

No meio dos meus recortes está o de "O rock protestante", publicado no Caderno B de 4 de novembro de 1989, tendo como gancho o lançamento de *As quatro estações*. Além da entrevista e da análise do disco, eu fizera, como era praxe nos perfis de sábado do *Jornal do Brasil*, o pedido de uma palavra amiga a Dado e a Marcelo (que desenharam uma história em quadrinhos) e de um mapa astral a Pedro Tornaghi, que o traçava sem saber de quem se tratava, apenas com o sexo e os dados de nascimento. Bem, ao contrário de Renato, eu não acredito em horóscopo mas... É impressionante reler o que me disse o astrólogo: "É Áries com Lua em Áries e ascendente em Peixes. Áries e Peixes têm em comum uma impulsividade sempre latente e quando se empolgam vão com tudo, perdem a cabeça. Netuno em triângulo ascendente o faz uma pessoa naturalmente sensível, com grande capacidade de captar o que está acontecendo ao redor, mas nem por isso se encontra disponível para os outros, pois tem momentos em que precisa muito de si próprio. Quando entra nos ambientes sente as coisas no próprio corpo, mas tem capacidade de estar fisicamente num lugar e não participar de forma objetiva. Pode dar a impressão de não estar ligado no que está acontecendo, mas nem por isso deixa de transpirar sensibilidade. É uma pessoa com um lado arrojado, mas por outro cautelosa em termos de planejamentos e projetos, pois existe nele uma certa reserva em relação ao futuro. Capricórnio na Casa 11 o deixa ter muitos conhecidos mas poucos amigos, pois ele considera a amizade uma coisa séria. Deixará raízes sólidas em seus amigos e se ficar sem vê-los por trinta anos, perceberá que os laços continuam intactos. Isso porque cria raízes sólidas e profundas".

Ou, numa frase, aquela com que Renato precedia seus autógrafos: "Força sempre".

P.S.: O título deste epílogo foi tirado de
um livro de poesias do italiano Cesare Pavese.

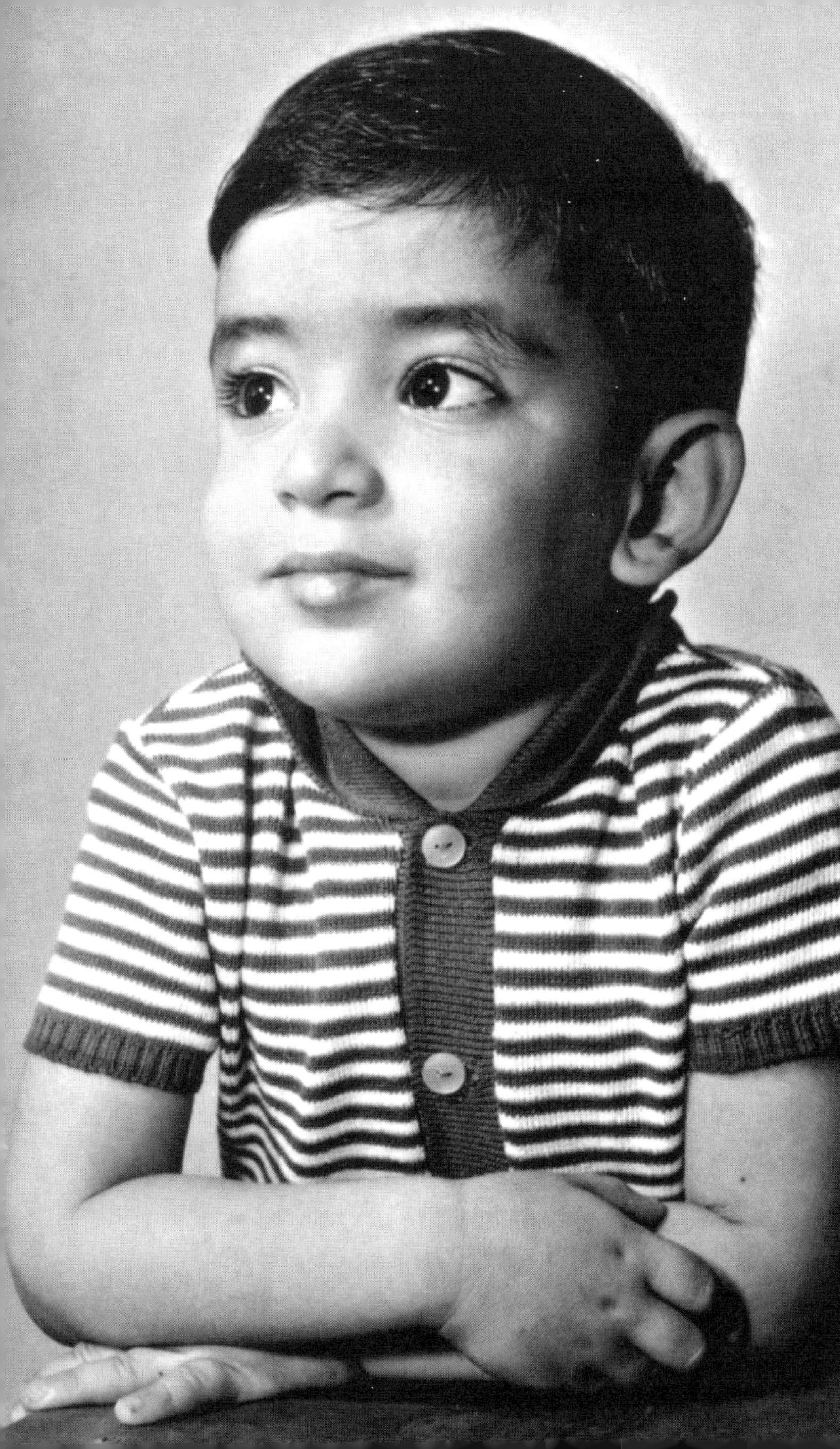

ACERVO PARTICULAR FAMÍLIA MANFREDINI

Opener

HÁ TEMPOS · E ELA DISSE · SETE CIDADES ·

vida
Meu amor, não é a coisa como está
E sim as coisas como são.

Tudo faz sentido quando há perigo
Só faz sentido qdo. estamos em perigo
Pega fogo na floresta
E o caminho é perigoso
Pegou no canivete
E lavou com água do rio
E ela disse:
– Lá em casa tem um poço
Mas a água é muito limpa

– Ele é tão contemporâneo
Ela é tão expressionista

Corri pro esconderijo
E olhei pela janela

Disseste que se tua voz tivesse a
força exata da imensa dor que
sentes, teu grito acordaria não
só a tua casa mas a vizinhança
inteira
E ela disse:
Problema é o que não falta
Mas olhe bem à sua volta.

DISCOGRAFIA

LEGIÃO URBANA

Produzido por José Emilio Rondeau.

Lançado em janeiro de 1985.

MÚSICAS: "Será", "A dança", "Petróleo do futuro", "Ainda é cedo", "Perdidos no espaço", "Geração Coca-Cola", "O reggae", "Baader-Meinhof Blues", "Soldados", "Teorema" e "Por enquanto".

DOIS

Produzido por Mayrton Bahia.

Lançado em julho de 1986.

MÚSICAS: "Daniel na cova dos leões", "Quase sem querer", "Acrilic on Canvas", "Eduardo e Mônica", "Central do Brasil", "Tempo perdido", "Metrópole", "Plantas embaixo do aquário", "Música urbana 2", "Andrea Doria", "Fábrica" e "Índios".

QUE PAÍS É ESTE 1978/1987

Produzido por Mayrton Bahia.

Lançado em dezembro de 1987.

MÚSICAS: "Que país é este", "Conexão amazônica", "Tédio (Com um T bem grande pra você)", "Depois do começo", "Química", "Eu sei", "Faroeste caboclo", "Angra dos Reis" e "Mais do mesmo".

AS QUATRO ESTAÇÕES

Produzido por Mayrton Bahia.

Lançado em novembro de 1989.

MÚSICAS: "Há tempos", "Pais e filhos", "Feedback Song for a Dying Friend", "Quando o sol bater na janela do teu quarto", "Eu era um lobisomem juvenil", "1965 (Duas tribos)", "Monte Castelo", "Maurício", "Meninos e meninas", "Sete cidades" e "Se fiquei esperando o meu amor passar".

V

Produzido por Mayrton Bahia e Legião Urbana. Músico convidado: Bruno Araújo (baixo).

Lançado em dezembro de 1991.

MÚSICAS: "Love song", "Metal contra as nuvens", "A ordem dos templários", "A montanha mágica", "O teatro dos vampiros", "Sereníssima", "Vento no litoral", "O mundo anda tão complicado", "L'âge d'or" e "Come Share My Life".

MÚSICA P/ ACAMPAMENTOS

(ÁLBUM DUPLO AO VIVO)

Produzido por Legião Urbana e Rafael Borges. Participação especial: Renato Rocha. Músicos convidados: Fred Nascimento (violão), Sérgio Serra (violão e guitarra), Bruno Araújo e Tavinho Fialho (baixo), Mu e Carlos Trilha (teclados). Gravado entre 1984 e 1992.

Lançado em dezembro de 1992.

MÚSICAS: "Fábrica", "Daniel na cova dos leões", "A canção do senhor da guerra", "O teatro dos vampiros", "Ainda é cedo", "Gimme shelter", "Baader-Meinhof Blues", "A montanha mágica", "Eu sei", "Índios", "A dança", "Mais do mesmo", "Soldados", "Música urbana 2", "On the Way Home", "Maurício", "Há tempos", "Pais e filhos", "Faroeste caboclo" e "Exit Music: Rhapsody in Blue".

O DESCOBRIMENTO DO BRASIL

Produzido por Mayrton Bahia e Legião Urbana.
Lançado em novembro de 1993.
MÚSICAS: "Vinte e nove", "A fonte", "Do espírito", "Perfeição", "O passeio da Boa Vista", "O descobrimento do Brasil", "Os barcos", "Vamos fazer um filme", "Os anjos", "Um dia perfeito", "Giz", "Love in the Afternoon", "La nuova gioventú" e "Só por hoje".

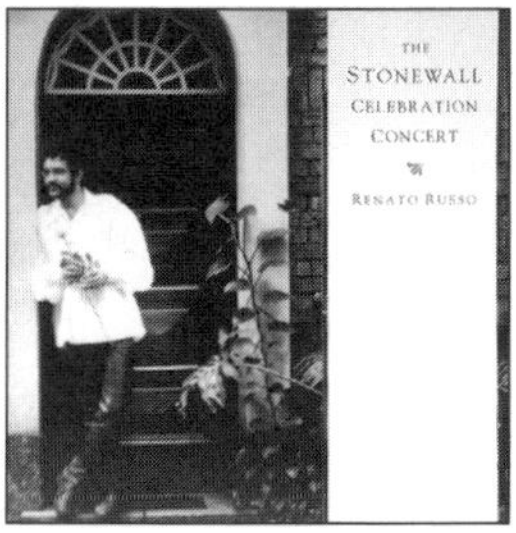

THE STONEWALL CELEBRATION CONCERT (SOLO)

Produzido por Renato Russo. Músico convidado: Carlos Trilha (teclado e programações).
Lançado em junho de 1994.
MÚSICAS: "Send in the Clowns", "Clothes of Sand", "Cathedral Song", "Love Is", "Cherish", "Miss Celie's Blues", "The Ballad of the Sad Young Men", "If I Loved You", "And So It Goes", "I Get Along Without You Very Well", "Somewhere in My Broken Heart", "If You See Him, Say Hello", "If Tomorrrow Never Comes", "The Heart of the Matter", "Old Friend", "Say It Isn't So", "Let's Face the Music and Dance", "Somewhere", "Paper of Pins", "When You Wish Upon a Star" e "Close the Door Lightly When You Go".

POR ENQUANTO (CAIXA DE METAL COM SEIS CDS)

Reunindo os seis primeiros discos de estúdio da Legião Urbana, remasterizados por Peter Mew, nos estúdios de Abbey Road, em Londres, sob a direção de Dado Villa-Lobos, Marcelo Bonfá e João Augusto. Lançado em novembro de 1995.

EQUILÍBRIO DISTANTE (SOLO)

Produzido por Renato Russo e Carlos Trilha. Músicos convidados: Jota Moraes (arranjo e regência), Paulo Lourenço (violão e guitarra), Ricardo Palmeira e Cláudio Jorge (violão), Arthur Maia, Marcos Pessoa e Bruno Araújo (baixo) e Eduardo Constant (bateria). Lançado em dezembro de 1995.

MÚSICAS: "Gente", "Strani amori", "I venti del cuore", "Scrivimi", "Dolcissima Maria", "Lettera", "La solitudine", "Passerà", "Wave/Come fa un'onda", "La forza della vita", "Due", "Più o meno" e "La vita è adesso".

A TEMPESTADE

Produzido por Dado Villa-Lobos e Legião Urbana. Músico convidado: Carlos Trilha (teclados). Lançado em setembro de 1996.

MÚSICAS: "Natália", "L'avventura", "Música de trabalho", "Longe do meu lado", "A Via Láctea", "Música ambiente", "Aloha", "Soul Parsifal", "Dezesseis", "Mil pedaços", "Leila", "1º de julho", "Esperando por mim", "Quando você voltar" e "O livro dos dias".

UMA OUTRA ESTAÇÃO (PÓSTUMO)

Produzido por Dado Villa-Lobos e Legião Urbana. Músicos convidados: Tom Capone (guitarra e violão), Carlos Trilha (teclados), Renato Rocha e Bi Ribeiro (baixo). Lançado em julho de 1997.

MÚSICAS: "Riding Song", "Uma outra estação", "As flores do mal", "La maison dieu", "Clarisse", "Schubert Ländler", "A tempestade", "High Noon (Do Not

Forsake Me)", "Comédia romântica", "Dado viciado", "Marcianos invadem a Terra", "Antes das seis", "Mariane", "Sagrado coração" e "Travessia do Eixão".

O ÚLTIMO SOLO (PÓSTUMO)

Produzido por Renato Russo e Carlos Trilha. Músicos convidados: Jota Moraes (arranjo de cordas), Fernando Morello (arranjo), Graham Preskett (regência), Paulo César Loureiro (guitarra e violão), Tom Capone (guitarra), Marcos Pessoa e Arthur Maia (baixo) e Eduardo Constant (bateria). Lançado em novembro de 1997.

MÚSICAS: "Hey, That's No Way to Say Goodbye", "The Dance", "Il mondo degli altri", "Ti chiedo onestà", "Lettera", "I Love You Porgy", "E tu come stai?" e "Change Partners". Faixa multimídia interativa: videoclipe de "Strani amori" e entrevista.

MAIS DO MESMO (ANTOLOGIA PÓSTUMA)

Produzido por José Emilio Rondeau, Mayrton Bahia, Dado Villa-Lobos e Legião Urbana. Lançado em março de 1998.

MÚSICAS: "Será", "Ainda é cedo", "Geração Coca-Cola", "Eduardo e Mônica", "Tempo perdido", "Índios", "Que país é este", "Faroeste caboclo", "Há tempos", "Pais e filhos", "Meninos e meninas", "Vento no litoral", "Perfeição", "Giz", "Dezesseis" e "Antes das seis".

ACÚSTICO MTV (AO VIVO PÓSTUMO)

Produzido por Legião Urbana. Direção artística de Torcuato Mariano. Lançado em outubro de 1999.

MÚSICAS: "Baader-Meinhof Blues", "Índios", "Mais do mesmo", "Pais e filhos", "Hoje a noite não tem luar", "Sereníssima", "Teatro dos vampiros", "On the Way Home/Rise", "Head On", "The Last Time I Saw Richard", "Metal contra as nuvens", "Há tempos", "Eu sei" e "Faroeste caboclo".

RENATO RUSSO (ANTOLOGIA PÓSTUMA DA SÉRIE BIS)

Seleção de repertório de Carlos Savalla.
Lançamento em junho de 2000.
MÚSICAS: "A carta" (com Erasmo Carlos), "A cruz e a espada" (com Paulo Ricardo), "Hey, That's No Way to Say Goodbye", "Send in the Clowns", "E tu come stai", "Cathedral Song", "Change Partners", "Lettera", "Old Friend", "If Tomorrow Never Comes", "Più o meno", "If I Loved You", "When You Wish Upon a Star", "Dolcissima Maria", "Gente humilde" (com Hélio Delmiro), "Somewhere", "I Love You Porgy", "Il mondo degli altri", "The Dance", "Cherish", "Ti chiedo onestà", "Clothes of Sand", "The Heart of the Matter", "Passerà", "The Ballad of the Sad Young Men", "Love Is", "Scrivimi" e "Miss Celie's Blues".

COMO É QUE SE DIZ EU TE AMO (ÁLBUM DUPLO AO VIVO, PÓSTUMO)

Produzido por Rafael Borges, Dado Villa-Lobos e Marcelo Bonfá. Músicos convidados: Carlos Trilha (teclados), Fred Nascimento (violão e guitarra) e Gian Fabra (baixo). Gravado em 8 e 9 de outubro de 1994 no Metropolitan, Rio de Janeiro.
Lançado em duas versões, uma dupla, outra com os dois discos separados, em março de 2001.

MÚSICAS DO DISCO 1: "Será", "Eu sei", "La nuova gioventú", "Ainda é cedo/Gimme Shelter", "Daniel na cova dos leões", "Vinte e nove", "Um dia perfeito", "Os

anjos", "1965 (Duas tribos)", "Monte Castelo", "Quando o sol bater na janela do teu quarto", "Geração Coca-Cola", "O teatro dos vampiros" e "Meninos e meninas".
MÚSICAS DO DISCO 2: "Faroeste caboclo", "Pais e filhos", "Tempo perdido", "Giz", "O descobrimento do Brasil", "Eduardo e Mônica", "Vento no litoral", "Há tempos", "Índios", "Perfeição/O bêbado e a equilibrista/Lithium/Metal contra as nuvens", "Andrea Doria", "Vamos fazer um filme", "Que país é este/Cajuína/Pintinho amarelinho/Aquele abraço" e "Metal contra as nuvens" (faixa bônus não-creditada na contracapa).

PRESENTE (PÓSTUMO)

Idealizado e produzido por Marcelo Fróes. Com Renato Russo e convidados, em gravações de variadas épocas ou em superposições posteriores.
Lançado em março de 2003.
MÚSICAS: "Mais uma vez", "Hoje" (com Leila Pinheiro), "Boomerang blues", "Cathedral Song/Catedral" (com Zélia Duncan), "A cruz e a espada" (com Paulo Ricardo), "A carta" (com Erasmo Carlos), "Gente humilde" (com Hélio Delmiro), "Thunder Road", "Quando eu estiver cantando/Endless Love", "Entrevista 1", "Entrevista 2", "Entrevista 3" e "Mais uma vez" (com o 14-Bis).

AS QUATRO ESTAÇÕES AO VIVO (PÓSTUMO)

Produzido pela Legião Urbana. Músicos convidados: Fred Nascimento (violão), Bruno Araújo (baixo) e Mu Carvalho (teclados). Gravado no Palestra Itália, estádio do Palmeiras, em São Paulo, nos dias 10 e 11 de agosto de 1990, exceto a faixa "Se fiquei esperando meu amor passar", gravada no Mineirinho, em Belo Horizonte, no mesmo mês. Lançado em duas versões, uma simples, outra dupla, em março de 2004.

MÚSICAS DA VERSÃO SIMPLES: "Fábrica", "Daniel na cova dos leões", "O reggae", "Há tempos", "Meninos e meninas", "Pais e filhos/Stand by Me", "Maurício/She Loves You", "Feedback Song for a Dying Friend", "1965 (Duas tribos)", "Monte Castelo", "Geração Coca-Cola", "Angra dos Reis", "Soldados/Help/Ball and Chain", "Se fiquei esperando meu amor passar", "Quase sem querer", "Índios".

MÚSICAS DA VERSÃO DUPLA: "Fábrica", "Daniel na cova dos leões", "O reggae", "Há tempos", "Meninos e meninas", "Pais e filhos/Stand by Me", "Maurício/She Loves You", "Feedback Song for a Dying Friend", "1965 (Duas tribos)", "Monte Castelo", "Se fiquei esperando meu amor passar", "Ainda é cedo/Gimme Shelter/Pretty Vacant/(I Can't Get No) Satisfaction/Jumpin' Jack Flash/Rock Around the Clock/Blue Suede Shoes", "Geração Coca-Cola", "Eu sei", "Angra dos Reis", "Tempo perdido", "Soldados/Help/Ball and Chain", "Quase sem querer", "Será", "Índios", "Faroeste caboclo".

OBS: Todos os discos foram lançados pela gravadora EMI-Odeon.

CRONOLOGIA

27 DE MARÇO DE 1960:
Às 4h, nasce Renato Manfredini Jr., na clínica Santa Lúcia, Humaitá, Rio de Janeiro.

1967/1969:
A família Manfredini mora em Forest Hill, distrito de Queens, Nova York, de onde retorna para a casa na rua Maraú, Ilha do Governador, Rio de Janeiro.

1973:
Os Manfredini se mudam para a SQS 303, em Brasília.

1975/1977:
Epifiólise diagnosticada, Renato passa um ano e meio sem poder andar.

1977:
Passa no vestibular de Comunicação do Ceub.

13 DE MARÇO DE 1978:
Renato faz o discurso de saudação ao príncipe Charles, durante sua visita à Cultura Inglesa.

1978:

Renato conhece o guitarrista André Pretorius e, com ele e com o baterista Felipe Lemos, forma o Aborto Elétrico.

31 de março de 1979:

O jornal inglês *Melody Maker* publica uma carta de Renato (que assinou Eric Russell, nome do líder de sua banda imaginária, a 42nd Street Band) pranteando o recém-falecido Sid Vicious, baixista dos Sex Pistols.

Janeiro de 1980:

Primeiro show do Aborto Elétrico, no bar Só Cana.

1980:

André Pretorius vai prestar serviço militar na África do Sul. Flávio Lemos, irmão de Fê, assume o baixo do Aborto Elétrico. Renato passa a tocar guitarra. Logo a banda incorpora um segundo guitarrista, Ico Ouro Preto.

1980:

Dado Villa-Lobos e Marcelo Bonfá assistem a shows do Aborto Elétrico.

8 de dezembro de 1981:

Durante um show na cidade-satélite de Cruzeiro Velho, Renato erra a letra de "Veraneio vascaína", Fê joga-lhe uma baqueta em cima e o Aborto Elétrico começa a acabar.

1982:

Durante alguns meses, Renato assume a *persona* do Trovador Solitário, apresentando-se sozinho ao violão. Depois, convida Marcelo Bonfá para formarem a Legião Urbana. Juntam-se a eles o guitarrista Eduardo Paraná e o tecladista Paulo Paulista, que logo deixariam a banda. Entra o guitarrista Ico Ouro Preto.

5 DE SETEMBRO:

Primeiro show da Legião Urbana, ainda com Paraná e Paulista, em Patos de Minas, junto com a Plebe Rude.

MARÇO DE 1983:

Ico deixa a banda. Renato e Marcelo convidam Dado Villa-Lobos.

ABRIL:

Festival na Associação Brasiliense de Odontologia reúne Legião, Plebe, Capital Inicial e XXX.

23 DE JULHO:

Primeira apresentação da Legião no Rio, no Circo Voador.

1983:

Primeira fita demo gravada para a EMI-Odeon.

1984:

Renato corta os pulsos. Renato Rocha é convidado por Bonfá para tocar baixo na Legião Urbana. Como um quarteto, a banda grava seu primeiro LP.

JANEIRO DE 1985:

Lançamento de *Legião Urbana*.

AGOSTO:

A banda se muda de Brasília para o Rio de Janeiro. Renato volta à casa da rua Maraú.

JANEIRO/MARÇO DE 1986:

Gravações do LP *Dois*.

JULHO:

Lançamento de *Dois*.

AGOSTO:

Show de lançamento do disco no morro da Urca.

SETEMBRO DE 1987:

Suspensas as gravações do terceiro LP da banda.

OUTUBRO:

A Legião retoma as gravações.

DEZEMBRO:

Lançamento de *Que país é este – 1978/1987*. Rafael Borges se torna o empresário da banda, substituindo Fernanda Villa-Lobos, mulher de Dado.

24 DE JANEIRO DE 1988:

A Legião encerra o II Festival Alternativa Nativa, no Maracanãzinho.

11 DE JUNHO:

Durante show no ginásio do Ibirapuera, em São Paulo, uma garrafa jogada no palco atinge e fere Marcelo Bonfá.

18 DE JUNHO:

Show da Legião Urbana no estádio Mané Garrincha, em Brasília, termina em confusão, com 60 pessoas detidas, 385 atendimentos médicos e 64 ônibus depredados.

DEZEMBRO:

Renato Rocha deixa a banda. Renato Russo reassume o baixo.

NOVEMBRO DE 1989:

Após 16 meses de gravações, *As quatro estações* é finalmente lançado. Renato viaja para os Estados Unidos.

ABRIL DE 1990:

Começa a excursão *As quatro estações*, pelo Triângulo Mineiro.

7 DE JULHO:

Show para 60 mil pessoas no Jockey Club Brasileiro, na Gávea, no mesmo dia da morte de Cazuza, por complicações decorrentes da Aids. Acompanham a banda Mu (teclados), Fred Nascimento (violão) e Bruno Araújo (baixo).

11 E 12 DE AGOSTO:

Apresentações no parque Antártica, São Paulo, para um total de 80 mil pessoas.

DEZEMBRO:

Renato descobre ser portador do vírus HIV.

SETEMBRO/OUTUBRO DE 1991:

Gravações do disco *V*.

DEZEMBRO:

Lançamento de *V*.

28 DE JANEIRO DE 1992:

Gravação de Renato, Dado e Marcelo para o programa *Acústico MTV*, no Hippodromo, em Perdizes, São Paulo. O disco e o vídeo correspondentes seriam lançados somente sete anos e meio depois.

MAIO/AGOSTO:

Ensaios para a turnê *V*. Fred Nascimento e Bruno Araújo se desentendem e são substituídos, respectivamente, por Sérgio Serra e Tavinho Fialho. Nos teclados, entra Carlos Trilha.

AGOSTO:

Início da turnê *V*.

7/8 DE SETEMBRO:

A excursão é interrompida em Natal, Rio Grande do Norte.

DEZEMBRO:

Lançamento do álbum duplo ao vivo *Música p/ acampamentos*, com gravações realizadas entre 1984 e 1992.

AGOSTO/OUTUBRO DE 1993:

Gravações de *O descobrimento do Brasil*.

NOVEMBRO:

Lançamento de *O descobrimento do Brasil*.

FEVEREIRO E MARÇO DE 1994:

Gravações do solo *The Stonewall celebration concert*.

JUNHO:

Começa a excursão *O descobrimento do Brasil*. Acompanham a banda Trilha (teclados), Fred Nascimento (guitarra) e Gian Gabra (baixo)

DEZEMBRO:

Renato e Gilda Mattoso vão à Itália, coletar material para *Equilíbrio distante*.

14 DE JANEIRO DE 1995:

Renato canta durante 45 minutos deitado no palco da casa Reggae Night, em Santos, em protesto contra quem tinha lhe jogado em cima latas de cerveja. É o último show da história da Legião Urbana.

FEVEREIRO/NOVEMBRO:

Gravações de *Equilíbrio distante.*

NOVEMBRO:

Lançamento da caixa de seis CDs *Por enquanto.*

DEZEMBRO:

Lançamento do solo *Equilíbrio distante.*

JANEIRO/JUNHO DE 1996:

Gravações que resultam tanto em *A tempestade* quanto no póstumo *Uma outra estação.*

SETEMBRO:

Lançamento de *A tempestade.*

11 DE OUTUBRO:

À 1:15h morre Renato Russo, em seu apartamento de Ipanema.

JULHO DE 1997:

Lançamento de *Uma outra estação.*

NOVEMBRO:

Lançamento de *O último solo.*

MARÇO DE 1998:

Lançamento da antologia *Mais do mesmo.*

OUTUBRO DE 1999:

Lançamento do CD e do vídeo *Acústico MTV*, gravados em 1992.

JUNHO DE 2000:

Lançamento da antologia solo *Renato Russo.*

MARÇO DE 2001:

Lançamento do álbum duplo ao vivo *Como é que se diz eu te amo*.

MARÇO DE 2003:

Lançamento de *Presente.*

MARÇO DE 2004:

Lançamento de *As quatro estações ao vivo.*

Apresentação:

O PUNK EM OPOSIÇÃO AO HIPPIE.

Origem do rock'n'roll
Movimentação de novo grupo social (↓)
Consumismo x crise
Kennedy. Beatles. Hippies.

(entretenimento vs. cultura
comunicação de massa como reguladora de aspectos de psicologia de grupo.
Psicologia ou opinião?
Até que ponto a formação de grupos sociais não independe principalmente do fator informativo vs o fator puro/emocional? a força da palavra
et o fator etário.)

MODA, ESTILO, IDEOLOGIA: aspectos psicológicos e sociais
instinto tribal

Hippies.
drop-out
burguesia
visão psicodélica (aberta)
(zen, naturalismo, budismo, cores, astrologia, agricultura, campo, paz, amor, folclore, misticismo)

Punks.
estão dentro.
proletariado
(fechada) visão voltada contra tudo
(ROCK, especificamente, o resto em geral)
← (surrealismo, dadaísmo, Bauhaus, república de Weimar, cidade, sistema, conflito, comunicação de massa, anarquismo).

A CONSCIÊNCIA POLÍTICA
DENTRO DESTES GRUPOS.

Assimilação
SOCIEDADE ATUAL

Breve História:
SEX PISTOLS
CLASH
12" 45's

Bibliografia:

ROCK O GRITO E O MITO - Muggiati, Roberto ED. VOZES 1973
O QUE É PUNK - Bivar, Antonio ED. BRASILIENSE 1982
A SEDUÇÃO DA BARBÁRIE - (O Marxismo na Modernidade) - Peixoto, Nélson Brissac, ED. BRASILIENSE 1982
THE ROLLING STONE ILLUSTRATED HISTORY OF ROCK & ROLL - Miller, Jim (editor), RANDOM HOUSE, 1980.

HIPPIES:
O Rock como fuga alter-ego

POP:
o rock como consumo.

PUNK:
o Rock como praxis.

Momento ainda muito recente para avaliação.
Falta de literatura definitiva sobre o tema.
Definição virtualmente impossível devido às
ambiguidades
controvérsias
paradoxos e
ramificações
sobre tema.

"Faça o que você quiser fazer.
O importante é se divertir."

— R. R.

FLAVIO COLKER

Este livro foi composto em Atma e Infidel
e impresso pela Ediouro Gráfica sobre papel offset 90g
para a Ediouro Publicações em outubro de 2006.